Puzzlers' Choice

WORD SEARCH

hinkler

hinkler

Published by Hinkler Books Pty Ltd
45–55 Fairchild Street
Heatherton Victoria 3202 Australia
www.hinkler.com.au

Cover design: Sam Grimmer
Typesetting: MPS Limited

ISBN: 978 1 7435 2019 2

Printed and bound in China

Puzzles

Word Search 1 ROBINSON CRUSOE

K	S	O	D	A	N	I	E	L	D	E	F	O	E	W
S	X	U	R	Y	E	N	T	A	O	B	T	S	P	V
R	T	H	P	D	S	K	A	D	Y	R	D	L	N	S
E	X	N	W	P	E	D	W	T	E	C	A	B	R	S
N	S	N	U	P	L	X	N	S	I	N	N	E	N	H
O	V	C	V	H	L	I	C	A	T	V	E	H	O	I
S	E	T	A	A	L	U	E	A	L	N	E	O	I	P
I	N	P	S	P	E	Y	T	S	I	S	C	S	T	W
R	E	A	M	Y	E	I	E	T	P	O	I	E	I	R
P	Z	R	R	A	O	V	U	N	N	M	S	N	D	E
Y	U	R	A	N	L	M	Y	I	R	L	F	M	E	C
L	E	O	F	O	D	Z	R	Z	A	U	O	O	P	K
H	L	T	W	P	Y	O	A	V	R	O	O	M	X	E
U	A	C	A	V	E	L	E	D	P	X	Y	J	E	D
Z	E	S	E	U	G	U	T	R	O	P	Q	Y	H	N

BOAT
CAVE
DANIEL DEFOE
ESCAPE
EXPEDITION
FARMS
HUNTS
ISLAND
JOURNEY
MOOR
MUTINEERS
NATIVES
ORINOCO
PARROT
PLANTATION
PORTUGUESE
PRISONERS
RESCUE
SHIPWRECKED
SLAVE
SUPPLIES
VENEZUELA
WOLVES
XURY

L	C	Y	N	A	K	E	Y	E	P	A	T	C	H	P
P	A	J	O	L	L	Y	R	O	G	E	R	P	I	L
D	P	N	R	E	E	N	A	C	C	U	B	L	C	C
R	T	A	I	U	Y	H	D	N	C	T	L	A	O	R
A	A	L	K	M	O	K	E	E	R	A	L	I	M	O
E	I	Y	E	A	I	L	E	A	G	I	U	P	S	S
B	N	C	R	S	O	R	B	E	C	Q	K	L	D	S
K	B	D	U	I	S	K	C	O	L	T	S	A	R	B
C	L	W	V	T	C	E	J	P	S	H	V	N	A	O
A	O	N	S	A	T	A	V	T	U	L	A	K	E	N
L	O	G	L	Z	C	H	O	S	V	G	E	U	B	E
B	D	B	Y	K	R	R	R	H	B	K	W	W	L	S
B	A	R	B	A	R	Y	C	O	A	S	T	A	E	D
W	O	R	R	A	P	S	K	C	A	J	K	V	S	J
U	S	R	P	Z	X	S	S	A	L	T	U	C	O	H

BARBARY COAST
BEARDS
BLACK BART
BLACKBEARD
BUCCANEER
CALICO JACK
CAPTAIN BLOOD
CRIMINAL
CROSSBONES
CUTLASS
CUTTHROAT
EYEPATCH
HOARD
JACK SPARROW
JEWELS
JOLLY ROGER
KEELHAUL
PARROT
PILLAGE
PLANK
PUGWASH
SKULL
VESSEL
VIOLENCE

Word Search 3 — NON WORDS

S	N	O	N	D	E	S	C	R	I	P	T	R	L	E
N	U	T	O	P	I	L	S	N	O	N	E	N	N	V
M	V	L	N	E	I	K	Q	N	O	K	O	X	O	I
C	T	I	P	O	V	O	L	N	O	N	E	T	N	X
J	N	L	R	N	N	I	D	M	S	N	H	M	F	E
I	E	Y	O	R	O	R	S	P	X	C	C	W	I	L
Z	L	K	D	I	I	N	E	A	U	K	K	E	C	F
O	O	C	U	P	O	C	O	S	V	C	D	L	T	E
V	I	M	C	N	I	M	E	N	I	N	Y	J	I	R
Y	V	S	T	F	K	N	Q	T	S	D	I	G	O	N
H	N	X	I	D	O	D	S	O	L	T	E	N	N	O
Q	O	C	V	N	V	N	B	B	F	F	O	N	O	N
H	N	G	E	A	O	N	L	D	L	B	G	P	T	N
G	H	N	O	N	C	O	M	F	O	R	M	I	S	T
L	A	T	T	I	M	M	O	C	N	O	N	F	C	Q

NONCE
NONCOMFORMIST
NONCOMMITTAL
NONDESCRIPT
NONDRIP
NONESUCH
NONET
NONFICTION
NONINVASIVE
NONPLUS
NONPRODUCTIVE
NONREFLEXIVE
NONRESIDENT
NONSLIP
NONSMOKER
NONSPECIFIC
NONSTICK
NONSTOP
NONVIOLENT

F	S	L	Q	C	A	U	L	I	F	L	O	W	E	R
E	E	T	E	I	B	A	R	L	H	O	K	R	V	R
V	G	N	O	T	T	O	M	A	T	O	E	S	A	R
I	G	E	N	R	T	W	U	O	K	B	F	D	E	K
D	P	K	O	E	R	U	K	L	M	F	I	P	U	C
N	L	O	C	S	L	A	C	U	E	S	P	M	L	A
E	A	H	O	I	R	A	C	E	H	E	E	O	S	B
S	N	C	U	L	K	U	K	V	P	R	K	N	M	B
T	T	I	R	V	C	S	U	G	A	R	A	P	S	A
O	N	T	G	E	S	C	V	S	A	E	T	Z	G	G
L	P	R	E	R	W	T	O	B	B	E	F	L	W	E
L	S	A	T	B	E	R	C	A	I	R	E	L	E	C
A	A	D	T	E	R	B	C	A	P	S	I	C	U	M
H	J	G	E	E	M	W	U	H	C	A	N	I	P	S
S	M	K	L	T	Q	Z	A	A	V	O	C	A	D	O

ARTICHOKE
ASPARAGUS
AUBERGINE
AVOCADO
BEANS
CABBAGE
CAPSICUM
CARROTS
CAULIFLOWER
CELERIAC
COURGETTE
CUCUMBER
EGGPLANT
ENDIVE
FENNEL
KALE
KOHLRABI
KUMERA
LEEK
LETTUCE
OKRA
PEPPER
RADISH
SHALLOTS
SILVER BEET
SORREL
SPINACH
TOMATOES

Word Search 5 ___________ SWORD SPORTS

V	T	C	E	R	I	D	D	P	S	M	X	H	F	D
F	A	D	O	U	B	L	E	F	A	B	J	E	E	A
E	O	L	U	T	U	E	X	H	E	S	T	E	G	A
C	T	R	I	S	A	S	T	T	C	X	S	I	B	Y
T	T	U	T	D	S	E	E	V	I	E	L	A	A	P
U	D	V	L	E	H	P	R	S	W	I	L	L	T	L
E	T	R	R	A	M	I	I	T	T	L	P	F	S	A
N	E	P	Y	O	S	R	T	Y	E	D	P	I	C	O
G	N	I	C	N	E	F	Y	S	R	R	O	G	I	E
A	S	S	A	U	L	T	T	O	W	E	S	J	P	G
G	V	I	B	T	P	R	W	J	J	Z	I	B	M	A
E	D	I	R	N	A	S	Q	C	M	I	T	L	Y	R
S	N	D	N	E	T	X	E	W	W	O	I	A	L	R
D	T	H	R	U	S	T	R	O	D	R	O	D	O	A
G	T	O	U	R	N	A	M	E	N	T	N	E	Y	B

AGILITY
AIDS
ASSAULT
BALLESTRA
BARRAGE
BIND
BLADE
COMPETE
DEXTERITY
DIRECT
DOUBLE
DRY
ENGAGE
EXTEND
FENCING
FLECHE
FORTE
OLYMPICS
PASSATA
POSITION
PRESS
RETREAT
SALUTE
SIXTE
SWORDPLAY
THRUST
TOURNAMENT
TROIZE
VALID HIT

T	P	S	S	Z	U	G	S	Q	K	L	P	Y	G	P
U	U	U	N	O	Y	Z	Q	N	O	I	P	E	N	Y
L	O	N	R	A	J	V	A	B	H	Y	C	G	I	D
R	O	F	A	B	E	B	O	S	V	H	Q	N	T	U
F	K	N	O	F	R	C	Y	H	I	X	D	I	S	G
L	D	N	G	E	R	R	A	N	C	U	L	P	A	O
O	V	R	G	L	O	X	O	T	S	N	O	M	C	U
U	N	G	E	T	I	D	A	T	S	L	A	I	D	T
N	O	B	C	D	E	N	R	N	L	U	P	R	N	C
D	W	A	B	R	G	I	E	A	N	U	R	C	A	A
E	F	H	M	F	A	E	C	R	Q	K	K	C	H	N
R	O	S	W	L	A	S	R	E	G	G	I	J	N	O
O	T	I	R	E	N	I	E	S	E	S	R	U	P	E
S	E	A	F	O	O	D	S	I	N	K	E	R	S	O
E	N	T	A	N	G	L	I	N	G	N	E	T	S	E

ANCHOVY
CRIMPING
CRUSTACEANS
DOGGER BANK
DREDGERS
DUGOUT CANOE
ECHINODERMS
ENTANGLING NETS
FACTORY SHIP
FLOUNDER
HAND CASTING
INDUSTRIAL
JIGGERS
LONG LINER
PURSE SEINER
SCALLOPS
SEAFOOD
SINKERS
TUNA

Word Search 7 ____________ PARENTHOOD

H	A	P	P	Y	P	P	T	N	E	T	N	O	C	G
A	S	U	V	A	D	U	A	T	L	E	A	R	N	N
A	E	A	I	A	H	S	E	R	Q	L	O	D	E	R
C	L	N	N	C	V	N	D	C	K	Q	O	D	Y	E
T	T	C	A	S	D	O	J	N	O	F	R	V	P	V
I	E	E	M	T	T	S	Z	R	E	A	B	I	E	O
V	T	V	O	E	E	F	E	Y	G	I	C	V	I	H
I	C	G	A	P	R	Y	S	L	C	K	R	H	S	C
T	U	H	G	U	A	L	U	E	U	L	E	F	A	T
I	D	F	N	L	C	L	O	P	D	R	O	Q	F	A
E	D	A	P	E	X	E	H	O	M	I	M	T	E	W
S	L	M	V	N	A	E	L	C	H	U	V	K	H	W
O	E	I	Q	S	P	O	R	T	O	C	S	O	B	E
G	R	L	C	H	O	L	I	D	A	Y	S	I	R	H
D	K	Y	E	N	I	L	P	I	C	S	I	D	C	P

ACTIVITIES
CAR
CLEAN
CLOTHE
COACH
CONTENT
CUDDLE
DANCE
DISCIPLINE
DRIVE
FAMILY
FRIENDS
GARDEN
HAPPY
HOLIDAYS
HOUSE
LAUGH
LEARN
LOVE
MUSIC
PAINT
PARK
PETS
PICK UP
PLAY
PROVIDE
RULES
SAFE
SCHOOL
SPORT
TEACH
TEND TO
WATCH OVER

Y	G	M	G	N	A	I	H	C	R	V	O	F	M	T
T	N	W	P	O	A	S	T	H	H	U	J	O	S	Z
A	O	G	R	B	W	P	M	S	U	Y	A	E	W	N
N	W	G	N	O	F	W	I	U	I	A	N	N	G	E
P	Z	X	G	O	O	A	H	N	G	G	N	N	Y	U
N	O	O	P	L	K	Z	O	K	A	N	E	G	I	Y
H	M	A	T	F	K	G	A	G	T	Z	O	X	V	G
U	L	U	A	B	N	U	M	M	Y	A	U	E	L	N
N	B	N	K	I	K	W	O	K	E	I	H	W	H	B
G	G	W	L	G	R	X	L	G	O	X	E	J	D	C
G	A	N	N	Z	G	S	N	E	N	I	M	A	M	H
N	E	E	O	M	E	K	H	G	E	O	N	M	A	I
A	H	J	H	E	P	E	X	E	N	B	J	K	H	N
I	S	H	E	K	L	C	H	A	N	I	W	A	N	G
J	Z	H	A	N	G	O	A	I	H	C	D	O	F	C

BAI
CHAN
CHEONG
CHIANG
CHIAO
CHING
DING
FANG
FONG
HENG
HSIA
HUANG

HUNG
HUO
JIANG
JONG
KONG
KWAN
KWOK
LEE
LEONG
LING
LOW
MAH

MAO
POON
RUAN
SHEK
SHEN
TAM
TAN
TSAO
TSENG
WANG
WEI
WONG

WOO
XIA
YEO
YIN
YUEN
ZEE
ZENG
ZHANG
ZHU

Word Search 9 ________ QUEEN CLEOPATRA

N	S	S	X	S	E	L	G	G	U	R	T	S	T	Z
R	R	T	S	C	U	D	E	M	P	I	R	E	S	L
W	I	N	P	E	P	I	E	M	O	R	P	M	E	T
O	V	E	R	E	R	T	C	Y	V	R	H	G	P	H
T	M	P	E	E	A	T	S	I	A	U	E	Y	A	C
M	U	R	R	L	E	R	S	C	D	N	G	T	L	O
A	I	E	M	G	I	S	L	I	D	E	N	R	L	I
R	R	S	R	D	H	X	O	S	M	E	U	Y	I	T
K	T	A	A	P	E	H	E	V	L	L	Y	V	A	N
A	B	P	S	U	A	U	Q	U	E	E	N	R	N	A
N	R	O	S	E	M	U	P	R	M	R	S	W	C	E
T	G	I	I	O	A	O	T	V	Z	U	E	V	E	M
O	L	S	P	A	X	C	K	U	S	Y	X	I	S	H
N	J	O	P	B	A	T	T	L	E	S	B	Q	G	N
Y	Z	N	P	A	L	E	X	A	N	D	R	I	A	N

ALEXANDRIA
ALLIANCES
ANTIOCH
BARGE
BATTLES
CAESAR
CARPET
EGYPT
EMPIRES
EXILE
LEGEND
MARK ANTONY
MISTRESS
NAVY
OPULENT
PEARLS
POISON
QUEEN
ROME
RULER
SERPENT
SOVEREIGN
STRUGGLES
SUICIDE
TARSUS
TRIUMVIRS

Word Search 10

U	K	O	T	L	O	F	T	I	N	E	S	S	E	M
O	M	N	N	I	T	E	L	L	U	B	S	R	R	Y
I	E	N	I	T	N	E	L	A	V	Y	E	E	E	N
L	O	B	S	T	I	N	A	T	E	C	N	D	E	I
I	X	A	I	N	S	T	I	N	C	T	I	I	N	T
B	S	L	E	S	N	I	T	T	E	N	T	S	I	U
E	E	N	Y	N	Q	N	M	N	U	I	S	T	T	R
R	N	Y	B	E	I	U	I	P	T	S	U	I	U	C
T	T	D	X	T	N	T	R	I	R	L	D	N	M	S
I	I	C	A	I	U	I	N	E	P	H	J	C	Y	E
N	N	R	T	O	S	E	T	A	T	E	Z	T	L	O
E	E	A	R	T	R	I	M	O	V	I	C	G	G	S
K	L	R	I	A	N	Y	E	S	C	E	N	T	C	V
P	Q	N	N	O	C	Z	P	J	Q	I	L	A	I	V
S	E	T	L	R	R	A	V	V	T	V	N	D	V	N

BULLETIN
DISTINCT
DUSTINESS
INSTINCT
ITINERANT
KERATIN
LEVANTINE
LIBERTINE
LOFTINESS
MUTINEER
NICOTINE
OBSTINATE
PECTIN
PLATINUM
PRISTINE
RETINA
RETINOL
ROUTINE
SCRUTINY
SENTINEL
STINK
TINGLE
TINNITUS
TINSEL
VALENTINE

Word Search 11 ____________ PHOTOGRAPHER

S	N	A	P	D	E	R	D	B	H	N	E	S	E	W
U	T	R	R	K	E	I	E	S	U	C	M	G	T	F
C	N	E	I	M	S	V	U	T	N	T	R	O	R	Y
O	S	M	N	K	L	R	E	A	T	A	T	A	D	M
F	E	A	T	I	B	I	H	L	L	U	M	O	O	E
H	R	C	G	G	Z	N	F	N	O	E	H	O	N	I
S	U	H	E	Y	E	D	E	R	L	P	Z	S	W	S
E	T	B	L	A	C	K	A	N	D	W	H	I	T	E
L	R	P	C	X	R	M	E	M	O	R	I	E	S	D
F	E	U	C	O	A	G	E	S	C	E	N	E	T	I
T	P	H	S	N	L	S	N	E	L	G	P	O	R	G
I	A	S	U	O	O	O	V	B	L	U	B	Z	I	I
M	G	A	J	P	P	C	U	B	B	G	H	D	P	T
E	L	L	Z	B	W	X	C	R	O	P	N	N	O	A
R	V	F	S	E	I	R	E	T	T	A	B	A	D	L

ANGLE
APERTURE
BATTERIES
BLACK AND WHITE
BRUSH
BULB
BUTTONS
CAMERA
COLOUR
CROP
DEVELOP
DIGITAL
DISK
ENHANCE
ENLARGE
EXPOSURE
FILM
FLASH
FOCUS
FRAME
LENS
LIGHT
MANUAL
MEMORIES
MODE
POSE
PRINT
RED EYE
SCENE
SELF TIMER
SHUTTER
SNAP
TRIPOD
ZOOM

I	N	D	O	C	T	R	I	N	A	T	E	S	A	L
L	W	K	K	I	E	D	I	R	E	C	T	Q	H	D
R	A	E	R	P	A	X	A	Z	O	P	E	G	R	E
E	P	K	K	M	C	N	F	M	S	N	R	F	Q	M
N	I	A	R	T	H	V	M	K	I	R	Q	A	O	O
E	T	A	R	T	S	U	L	L	I	Z	M	C	H	N
N	T	I	C	Y	N	I	P	R	E	P	A	R	E	S
P	E	I	N	I	Q	I	M	E	K	T	P	E	P	T
R	F	T	C	T	C	N	T	P	E	L	S	R	O	R
O	R	A	H	S	E	A	U	C	R	I	T	U	L	A
F	T	O	I	G	I	R	H	R	C	O	E	T	E	T
E	Z	D	T	T	I	I	P	R	T	D	V	C	V	E
S	B	D	I	U	S	L	E	R	I	U	T	E	E	E
S	K	N	S	M	T	X	N	F	E	R	R	L	D	G
J	I	M	V	F	E	U	Y	E	S	T	G	E	G	O

CATECHISM
COMMUNICATE
DEMONSTRATE
DEVELOP
DIRECT
DISCIPLINE
EDIFY
ENLIGHTEN
EXERCISE
ILLUSTRATE
IMPROVE
INDOCTRINATE
INITIATE
INTERPRET
LECTURE
NURTURE
PREPARE
PROFESS
REAR
SHARPEN
TEACH
TRAIN
TUTOR

Word Search 13 P FILMS

P	L	A	N	E	T	O	F	T	H	E	A	P	E	S
S	E	M	A	G	T	O	I	R	T	A	P	P	P	C
P	P	A	N	I	C	R	O	O	M	Z	L	S	I	I
N	H	A	C	E	W	G	L	A	G	E	E	R	C	G
O	G	E	T	W	E	S	C	V	A	I	E	P	T	A
I	O	G	N	T	X	P	Z	S	M	T	S	E	U	M
S	B	R	N	O	O	O	A	E	S	N	R	A	R	L
A	S	B	E	R	M	N	N	A	B	A	H	R	E	A
U	M	U	K	H	T	E	M	V	W	F	D	L	P	C
S	L	Y	O	V	C	T	N	O	P	Q	Z	H	E	I
R	S	Y	I	I	E	I	T	O	A	U	U	A	R	T
E	K	L	L	P	C	H	L	N	N	D	H	R	F	C
P	L	B	P	Y	T	E	S	B	D	U	T	B	E	A
E	U	U	J	A	U	N	R	U	U	D	U	O	C	R
P	P	K	P	G	A	M	A	P	D	P	O	R	T	P

PANIC ROOM
PATH TO WAR
PATRIOT GAMES
PATTON
PEARL HARBOR
PERSUASION
PHENOMENON
PICTURE PERFECT
PLANET OF THE APES
PLEASANTVILLE
PORKY'S
PRACTICAL MAGIC
PRECIOUS
PUBLIC ENEMIES
PUBLIC HERO
PUPPET MASTER

Word Search 14

L	Y	F	F	U	L	F	C	M	D	L	I	V	W	B
R	E	H	T	A	E	F	A	T	H	R	E	A	D	L
C	D	I	G	X	N	O	I	H	S	U	C	P	N	O
C	L	O	Y	P	F	P	A	D	D	I	N	G	O	S
O	V	O	W	P	Y	E	R	M	C	Z	C	Z	O	S
B	I	I	U	N	S	V	N	E	T	T	I	K	L	O
W	J	H	N	D	Y	I	T	C	P	G	A	J	L	M
E	E	U	L	C	A	E	W	I	H	A	G	W	A	I
B	B	K	R	A	K	S	H	R	A	R	P	W	B	Q
W	R	E	O	N	T	F	I	B	I	P	I	S	U	N
S	A	E	A	M	L	E	S	A	R	N	S	I	L	O
M	I	L	E	E	S	U	P	F	D	O	L	L	F	T
H	B	L	E	Z	J	G	E	T	L	T	M	T	R	T
N	O	C	K	N	E	O	R	F	L	O	W	E	R	O
J	E	R	I	K	G	O	S	S	A	M	E	R	F	C

BALLOON
BLANKET
BLOSSOM
BREEZE
BUNNY
CLOUD
COBWEB
COTTON
CREAM
CUSHION
DOWNY
FABRIC
FEATHER
FLEECE
FLOSS
FLOWER
FLUFFY
FOAM
GOSSAMER
HAIR
KITTEN
PADDING
PAPER
PETAL
QUILT
SILK
SMOKE
THREAD
WHISPER
WIND
WISPY

Word Search 15 ______ BEYONCE KNOWLES

N	D	E	S	T	I	N	Y	S	C	H	I	L	D	F
A	E	I	W	I	R	E	T	I	R	W	G	N	O	S
C	H	O	S	R	N	O	B	F	P	B	N	I	N	S
I	G	R	X	O	O	G	M	I	O	E	W	Y	I	V
R	P	G	C	V	N	V	L	W	H	W	C	N	X	T
F	A	S	H	I	O	N	D	E	S	I	G	N	E	R
A	D	V	N	V	N	H	E	R	L	E	P	L	A	A
L	O	E	V	R	O	G	J	E	R	A	E	H	M	D
M	A	P	S	U	M	J	A	A	G	P	D	A	O	S
F	M	D	S	S	N	E	V	B	H	N	M	I	Y	P
J	L	T	Y	E	E	C	U	O	S	A	A	A	E	O
J	O	A	T	G	Y	S	N	Y	G	X	R	L	T	S
N	T	S	M	E	A	E	B	U	E	P	A	K	O	O
B	I	L	U	O	S	G	S	O	L	D	I	E	R	S
L	E	C	R	E	I	F	A	H	S	A	S	M	A	I

AFRICAN
DANCE
DEJA VU
DESTINY'S CHILD
FASHION DESIGNER
HIP HOP
HOUSTON
I AM ... SASHA FIERCE
IF I WERE A BOY
LADY GAGA
LISTEN
NO NO NO
OBSESSED
PRAYS
SINGER
SINGLE LADIES
SOLANGE
SOLDIER
SONGWRITER
SOUL
SUGA MAMA
SURVIVOR
TELEPHONE

C	N	O	O	B	A	B	D	K	H	H	Y	R	J	O
H	A	I	J	Y	E	M	U	R	G	A	H	Y	G	R
E	G	G	L	E	E	N	O	I	A	I	L	N	D	E
E	N	H	U	O	E	E	R	N	N	P	O	S	N	A
T	U	E	S	R	G	A	L	O	K	B	O	I	N	C
A	T	D	E	P	F	N	C	E	U	E	P	E	X	H
H	A	G	I	F	A	E	A	F	P	U	Y	B	L	I
X	T	E	E	K	R	L	F	P	C	H	B	Y	S	M
O	I	H	A	O	D	A	A	R	D	V	A	R	K	P
G	S	O	S	I	L	I	O	P	J	R	B	N	O	A
L	E	G	D	O	M	P	K	S	M	D	H	K	T	N
E	E	N	G	O	H	T	R	A	W	I	S	O	I	Z
T	S	E	E	B	E	T	R	A	H	N	U	B	Y	E
A	N	H	N	T	G	H	I	P	P	O	B	B	Z	E
R	K	U	D	U	S	P	R	I	N	G	H	A	R	E

AARDVARK
BABOON
BONGO
BUFFALO
BUSH BABY
CHEETAH
CHIMPANZEE
DIKDIK
ELEPHANT
GENET
GERENUK
GIRAFFE
HARTEBEEST
HEDGEHOG
HIPPO
HYENA
IMPALA
KOB
KUDU
LEOPARD
MONKEY
PANGOLIN
PORCUPINE
RATEL
RHINOCEROS
SITATUNGA
SPRING HARE
WARTHOG

Word Search 17 ____________ MARRY ME

B	R	I	D	E	S	M	A	I	D	S	F	D	V	V
M	A	K	E	U	P	A	G	E	O	L	C	B	C	K
X	I	S	T	S	E	U	G	J	O	Y	N	S	Z	M
N	I	A	R	T	S	L	G	W	C	Y	F	T	K	Q
E	K	C	M	O	U	N	E	M	O	N	D	N	L	D
S	O	Z	T	U	I	R	S	D	N	O	P	E	E	R
Q	D	O	C	C	S	E	O	R	F	M	C	R	P	E
B	H	N	N	H	H	I	T	T	E	E	E	A	A	S
P	E	A	E	C	A	Z	C	F	T	R	L	P	H	S
E	D	S	E	I	R	M	I	P	T	E	E	T	C	T
F	L	E	T	I	R	T	P	Q	I	C	B	T	N	J
B	P	S	N	M	T	F	V	A	V	O	R	G	A	W
S	B	G	I	I	A	T	J	J	G	C	A	L	Z	C
B	S	A	N	A	B	N	G	O	W	N	T	J	K	N
C	Y	G	V	T	N	A	R	B	E	L	E	C	G	T

AISLE
BEST MAN
BRIDESMAIDS
CATERER
CELEBRANT
CELEBRATE
CEREMONY
CHAMPAGNE
CHAPEL
CONFETTI
DANCING
DRESS
FITTING
FLOWERS
FRIENDS
GOWN
GUESTS
MAKE-UP
MUSIC
PAGE
PARENTS
PHOTOS
RINGS
SPEECHES
TRAIN

Q	M	Z	A	N	T	E	C	U	R	R	A	N	T	X
M	S	A	U	V	I	G	N	O	N	B	L	A	N	C
A	O	N	A	L	U	I	R	F	I	A	C	O	T	C
R	M	P	X	R	R	Z	P	M	M	R	P	M	A	N
O	U	L	I	Z	I	U	E	B	D	X	W	B	N	A
O	S	B	H	N	G	E	R	W	W	R	E	X	O	L
S	C	I	Y	R	O	U	D	R	L	R	N	N	G	B
E	A	O	L	C	S	T	I	A	N	V	I	V	N	N
E	D	J	C	C	A	O	G	E	M	T	T	I	I	I
D	E	G	O	I	N	B	T	R	N	A	G	K	L	N
L	L	I	T	T	T	F	E	A	I	X	T	U	S	E
E	L	X	O	J	R	A	R	R	E	G	B	N	E	H
S	E	N	H	A	I	G	E	R	N	D	I	O	I	C
S	I	V	N	D	A	L	H	L	U	E	P	O	R	T
P	F	C	S	S	O	R	C	M	A	H	T	L	A	W

ALEATICO
CABERNET FRANC
CHENIN BLANC
LAMBRUSCO
MAROO SEEDLESS
MUSCADELLE
PINOT GRIGIO
PINOT NOIR
RIESLING
RUBY CABERNET
SAGRANTINO
SAUVIGNON BLANC
TINTA MADEIRA
TOCAI FRIULANO
WALTHAM CROSS
ZANTE CURRANT

Word Search 19 DREAMING

J	I	A	U	N	C	O	N	S	C	I	O	U	S	N
U	M	O	T	E	R	U	T	U	F	X	T	Y	M	E
T	I	T	S	W	I	D	E	A	L	I	S	T	I	P
E	R	N	T	E	O	I	F	Z	K	A	I	R	J	H
R	A	E	N	M	P	B	C	I	T	I	E	I	E	E
P	G	V	E	O	E	Z	N	N	C	V	B	A	S	I
R	E	N	M	T	R	R	A	I	E	T	R	Z	L	T
E	E	I	G	I	S	F	I	R	A	T	I	L	U	M
T	I	K	I	O	O	R	L	P	R	R	U	O	A	C
N	B	M	F	N	N	B	V	A	S	S	B	E	N	J
I	D	D	A	S	A	U	T	Q	I	A	R	S	E	R
R	L	N	D	G	L	E	M	O	N	D	L	C	Q	T
E	S	N	E	S	I	L	N	O	B	E	E	H	H	Z
H	Z	J	H	H	T	N	O	O	E	C	N	A	R	T
E	N	E	R	G	Y	M	E	P	P	E	B	M	S	R

ASPIRE
BRAIN
DREAM
EMOTIONS
ENERGY
FANTASY
FICTION
FIGMENT
FUTURE
HEART RATE
IDEALIST
IDEAS
ILLUSION
IMAGINE
INTERPRET
INVENT
MIRAGE
MOON ABOUT
PERSONALITY
RAINBOW
REVERIE
SENSE
SLEEP
TRANCE
UNCONSCIOUS

Word Search 20

E	T	S	E	R	E	I	S	S	A	R	B	D	S	B
H	X	H	H	B	W	I	T	B	Y	G	R	V	G	O
P	F	T	N	E	W	S	L	R	N	A	M	J	N	D
A	E	T	E	L	E	E	R	I	W	W	X	L	I	Y
G	I	T	J	L	S	R	R	E	X	B	L	F	K	S
F	S	Q	T	I	E	U	R	F	K	O	X	B	C	T
R	B	T	M	I	L	S	C	S	D	C	L	X	O	O
E	L	E	R	L	C	A	R	Y	L	O	I	M	T	C
N	H	C	A	I	M	O	B	O	O	L	Q	N	S	K
C	H	I	N	I	N	A	A	M	C	A	D	R	K	I
H	D	D	S	R	B	G	E	T	N	I	T	A	S	N
U	B	O	G	H	R	R	N	Y	L	O	N	W	X	G
P	L	B	F	I	S	X	S	T	E	S	R	O	C	P
E	H	N	I	G	H	T	G	O	W	N	L	X	Z	G
U	N	D	E	R	G	A	R	M	E	N	T	S	V	G

ALLURING
BABYDOLL
BLOOMERS
BODICE
BODYSTOCKING
BRASSIERE
BRIEFS
CAMISOLE
CHEMISE
CORSELET
CORSETS
DRAWERS
FRENCH
G-STRING
KNICKERS
NIGHTGOWN
NYLON
PETTICOAT
SATIN
SHEER
STOCKINGS
UNDERGARMENTS

Word Search 21 — LEONARDO DICAPRIO

P	O	I	S	O	N	I	V	Y	B	L	T	C	D	F
H	T	V	N	L	Z	F	R	O	M	E	O	N	H	R
U	S	H	H	C	A	K	R	Q	D	B	A	N	V	A
H	C	A	E	B	E	H	T	D	B	L	L	M	A	N
S	H	R	I	D	T	P	Y	V	S	K	M	O	H	K
W	I	L	O	T	E	D	T	I	R	O	U	O	Z	A
I	J	U	R	T	A	P	R	I	I	A	L	R	X	B
M	T	A	O	N	A	E	A	R	O	L	P	S	P	A
F	E	A	I	L	T	I	P	R	Y	N	S	N	R	G
H	T	E	L	T	G	A	V	W	T	S	N	I	O	N
I	L	E	U	I	C	N	O	A	N	E	O	V	D	A
S	H	H	I	I	A	O	I	S	E	N	D	R	U	L
T	S	Q	D	T	D	N	R	K	A	H	L	A	C	E
A	N	O	I	T	A	T	U	P	E	R	T	M	E	J
R	G	A	N	G	S	O	F	N	E	W	Y	O	R	K

COBB	INCEPTION	ROMEO
DICAPRIO	ITALIAN	SHUTTER ISLAND
DON'S PLUM	KING LOUIS	STAR
FRANK ABAGNALE	MARVINS ROOM	TEDDY DANIELS
GANGS OF NEW YORK	POISON IVY	THE AVIATOR
HEARTTHROB	PRODUCER	THE BEACH
HOLLYWOOD	REPUTATION	THE DEPARTED

N	B	I	A	U	D	O	F	J	J	A	S	R	N	S
T	R	P	M	U	B	O	Z	E	I	Q	K	S	I	L
S	I	S	O	M	R	Y	T	H	G	I	M	Z	A	U
I	M	L	U	C	E	I	K	S	X	U	A	Z	T	F
G	M	J	E	B	G	N	M	P	E	B	H	N	N	I
N	I	M	O	O	S	N	S	P	L	G	A	Y	U	T
I	N	G	R	E	A	T	I	E	O	I	G	Z	O	N
F	G	W	B	G	M	E	A	D	G	R	E	I	M	U
I	G	R	O	W	N	U	P	N	N	X	T	F	B	O
C	C	I	T	N	A	G	I	G	T	U	E	A	J	B
A	F	I	L	L	E	D	V	E	N	I	O	L	N	O
N	A	Q	O	I	Q	T	N	Z	H	G	A	S	K	T
T	L	N	T	Q	P	T	C	C	X	E	O	L	E	X
A	F	B	S	C	I	N	A	T	I	T	V	O	V	R
C	O	N	S	I	D	E	R	A	B	L	E	H	D	Z

BIGGEST
BOUNTIFUL
BRIMMING
CHIEF
CONSIDERABLE
EXTENT
FILLED
FORCE
GIANT
GIGANTIC
GOOD
GREAT
GROWN-UP
HUGE
IMMENSE
IMPORTANT
JUMBO
LOTS
LOUD
MIGHTY
MOUNTAIN
RESOUNDING
SIGNIFICANT
SIZABLE
SUBSTANTIAL
TITANIC

Word Search 23 FANTASY FICTION

N	H	P	E	S	A	Y	G	O	L	O	H	T	Y	M
F	S	D	N	L	U	I	T	A	K	I	L	C	H	E
O	E	R	C	A	W	R	N	B	Q	S	I	M	A	S
L	M	O	H	M	O	D	K	R	N	G	O	W	R	A
K	A	L	A	I	P	C	D	R	A	N	O	E	R	N
L	G	K	N	N	X	E	O	M	S	N	T	B	Y	A
O	L	R	T	A	W	C	T	T	D	C	G	B	P	Y
R	I	A	E	G	I	O	E	E	A	E	E	I	O	A
E	G	D	D	N	F	R	R	R	R	A	L	I	T	M
T	K	Y	U	I	S	F	A	L	S	P	M	V	T	A
G	O	N	H	K	U	H	T	T	D	E	A	A	E	R
T	A	L	P	L	C	U	S	F	D	S	M	N	R	S
B	Y	W	P	A	L	I	V	E	S	V	D	O	O	G
K	G	O	J	T	H	E	H	O	B	B	I	T	N	N
S	U	P	E	R	N	A	T	U	R	A	L	I	H	G

BEASTS
CHARACTERS
DARK LORD
ELVES
ENCHANTED
FOLKLORE
GILGAMESH
GNOMES
GOOD VS EVIL
HARRY POTTER
MAGIC
MONSTERS
MYTHOLOGY
NARNIA
PETER PAN
PLOT
RAMAYANA
SUPERNATURAL
TALKING ANIMALS
THE HOBBIT
UNICORNS
WONDERFUL
WORLDS

B	B	S	K	X	M	R	B	A	F	F	L	E	D	O
D	E	I	T	A	D	E	X	O	M	M	U	L	F	B
F	E	M	L	U	O	D	I	S	A	R	R	A	Y	A
X	E	D	U	K	N	W	I	N	X	R	H	U	M	M
U	E	K	T	S	K	N	E	R	D	T	D	I	V	B
B	D	R	A	I	E	R	E	E	N	Z	X	W	M	O
B	W	E	K	T	V	G	L	D	R	E	A	M	B	O
C	E	S	L	O	S	D	R	R	D	D	O	E	I	Z
O	T	F	U	Z	D	I	N	O	E	Z	W	D	P	L
N	U	S	U	U	Z	S	M	S	H	I	X	B	P	E
F	R	K	M	D	J	U	U	I	L	A	K	W	L	U
O	M	N	I	G	D	F	P	D	B	A	G	P	I	J
U	O	A	S	R	N	L	E	Y	F	I	T	S	Y	M
N	I	L	M	O	E	R	E	R	U	C	S	B	O	F
D	L	B	C	I	K	P	E	R	P	L	E	X	E	D

BAFFLED
BAMBOOZLE
BEDLAM
BEFUDDLE
BEMUSE
BEWILDER
BLANK
CONFOUND
CONFUSED
DISARRAY
DISORDER
FLUMMOXED
MISTAKE
MIXED
MUDDLED
MYSTIFY
NERVOUS
OBSCURE
PERPLEXED
PUZZLED
STUNNED
TURMOIL

Word Search 25 — HEAVYWEIGHT BOXERS

V	E	A	G	A	H	C	N	A	L	S	U	R	S	V
I	K	R	O	Y	J	O	N	E	S	J	R	E	D	N
M	S	R	X	H	Y	H	G	A	J	K	M	V	I	V
J	I	S	S	Q	A	N	S	O	P	L	A	K	F	N
I	N	C	Y	A	S	S	H	S	O	K	O	D	O	M
M	O	G	H	J	L	N	I	H	C	L	G	D	Y	I
M	T	P	A	A	R	G	Y	M	A	H	L	S	T	K
Y	S	E	M	U	E	R	U	I	R	E	D	P	W	E
T	I	N	I	P	R	L	V	O	S	A	K	L	Z	T
H	L	Z	N	A	F	A	M	E	D	P	H	E	J	Y
U	Y	G	L	Z	L	R	C	O	Y	S	W	M	Q	S
N	N	S	T	U	O	U	L	N	O	W	E	B	A	O
D	N	G	E	O	R	G	E	F	O	R	E	M	A	N
E	O	V	I	B	K	K	N	C	Z	L	E	A	A	O
R	S	I	W	E	L	X	O	N	N	E	L	R	A	J

BRUCE SELDON
GEORGE FOREMAN
HASIM RAHMAN
JAMES DOUGLAS
JIMMY THUNDER
JOHN RUIZ
LARRY HOLMES
LENNOX LEWIS
MICHAEL MOORER
MIKE TYSON
NIKOLAI VALUEV
ROY JONES JR
RUSLAN CHAGAEV
SONNY LISTON

Word Search 26

K	B	G	S	C	R	E	W	D	R	I	V	E	R	T
K	R	P	N	S	T	W	R	C	Q	I	M	C	F	N
E	E	R	O	I	O	N	I	E	N	W	I	D	W	E
L	A	O	F	L	R	T	I	S	P	R	I	W	G	R
E	K	T	F	L	E	I	U	O	C	L	V	R	J	R
C	E	O	H	N	A	L	W	U	P	U	A	O	E	U
T	R	N	G	N	A	T	I	F	O	H	R	C	L	C
R	E	A	R	T	H	T	P	U	C	E	P	L	E	T
I	M	E	I	Y	H	C	T	I	W	S	N	I	A	M
C	J	O	R	R	T	L	W	O	N	R	Y	O	U	F
I	N	E	K	E	E	U	P	F	U	S	E	C	B	W
T	E	J	K	T	P	S	T	R	I	P	P	E	R	S
Y	D	C	T	T	L	M	L	A	N	I	M	R	E	T
Z	O	G	C	A	L	L	A	T	I	G	I	D	B	M
S	C	W	R	B	N	L	I	G	H	T	I	N	G	W

AMPERE
BATTERY
BREAKER
CHARGE
CIRCUIT
CODE
COIL
CURRENT
DIGITAL
EARTH
ELECTRICITY
FLAT PINS
FLOW
FUSE
INSULATION
LIGHTING
MAGNETIC
MAIN SWITCH
OUTLET
POINT
POWER
PROTON
REPLACE
SCREWDRIVER
SOCKET
STRIPPERS
TERMINAL
VOLT
WIRE
WIRING

Word Search 27 ______________ VINES

V	I	R	G	I	N	S	B	O	W	E	R	W	Y	R
V	Y	E	O	E	I	K	D	M	E	V	A	V	W	E
L	I	A	N	A	N	E	D	N	P	N	F	E	I	P
G	C	B	O	I	E	I	I	G	D	X	P	M	N	E
H	R	C	R	W	V	V	V	E	Y	U	L	U	T	E
A	K	E	K	Q	R	T	R	S	O	E	C	S	E	R
E	A	L	E	E	M	I	E	L	S	H	R	C	R	C
O	I	M	P	N	N	O	A	P	A	O	I	A	C	T
M	L	P	G	G	B	T	O	Y	M	L	R	T	R	E
O	E	B	J	C	N	R	O	N	B	U	P	C	E	P
P	G	E	D	A	K	T	I	V	S	Z	R	E	E	M
I	W	C	C	I	E	T	Y	E	O	E	J	T	P	U
J	A	P	A	N	E	S	E	C	R	E	E	P	E	R
H	S	A	U	Q	S	R	E	M	M	U	S	D	R	T
R	E	P	E	E	R	C	A	I	N	I	G	R	I	V

CANTALOUPE
CHAYOTE
CROSS-VINE
GREENBRIER
IPOMOEA
JAPANESE CREEPER
LIANA
MILKWEED
MOONSEED
MUSCAT
PEPPERVINE
SUMMER SQUASH
TRUMPET CREEPER
TRUMPET VINE
VIRGINIA CREEPER
VIRGIN'S BOWER
WANDERING JEW
WINTER CREEPER

Word Search 28

D	S	J	A	C	R	E	F	L	A	T	S	S	A	V
E	I	G	A	O	E	C	D	C	S	B	E	D	Y	G
P	P	N	N	N	P	P	T	G	A	C	H	S	N	K
A	H	I	D	N	R	N	X	T	E	E	E	I	W	Q
H	O	K	K	E	O	K	D	I	S	S	L	N	R	D
S	T	C	A	C	D	N	P	I	E	I	I	O	E	E
Y	O	O	R	T	U	I	V	P	T	R	L	K	J	S
L	G	L	Q	O	C	E	S	P	U	L	A	B	A	I
D	R	R	R	D	T	X	Y	E	U	Z	O	U	K	G
D	A	E	T	O	I	G	L	P	L	X	Z	W	Q	N
O	P	T	D	O	O	A	M	L	F	B	N	L	A	S
S	H	N	S	W	N	A	P	I	C	T	U	R	E	I
B	S	I	W	I	T	V	S	R	E	N	R	O	C	S
S	D	E	G	R	A	L	N	E	G	J	E	R	D	N
O	P	T	I	C	A	L	I	L	L	U	S	I	O	N

ADHESIVE
BOX
CONNECT
CORNERS
DESIGNS
DOUBLE-SIDED
EDGES
ENLARGED
FLAT
INTERLOCKING
ODDLY SHAPED
OPTICAL ILLUSION
PHOTOGRAPHS
PICTURE
PIECES
PUZZLES
REPRODUCTION
ROLL-UP MAT
ROUND TABS
SCENES
SQUARE
TILING
WOOD

Word Search 29 AVIATORS

Q	T	B	O	C	F	F	Y	D	O	R	N	I	E	R
Z	S	B	U	O	O	K	T	R	O	C	N	A	R	F
D	O	H	K	S	S	R	E	M	T	T	O	C	S	W
N	P	K	S	R	A	G	W	H	I	T	T	L	E	H
A	E	E	O	H	A	R	E	L	K	N	I	H	K	I
R	T	K	R	E	I	F	L	O	G	T	N	O	M	T
T	I	A	Y	C	L	S	K	I	F	B	M	A	X	T
S	E	N	I	E	E	X	M	A	L	W	P	S	H	E
D	O	U	G	L	A	S	H	A	M	I	L	T	O	N
N	K	P	W	E	R	F	N	S	I	I	P	B	O	B
I	C	J	W	B	N	C	A	E	E	L	Y	I	V	R
L	O	R	W	I	H	B	H	R	T	H	L	S	E	O
J	C	Y	K	A	T	C	E	F	M	T	G	I	R	W
K	L	B	R	C	A	H	L	R	D	A	A	U	W	N
O	A	D	R	B	O	E	I	N	G	N	N	B	H	C

ALCOCK
BACH
BATTEN
BLANCHARD
BOEING
CELEBI
DORNIER
DOUGLAS-HAMILTON
EARHART
FARMAN
FOKKER
FOSSETT
FRANCO
HINKLER
HOOVER
HUGHES
LEAR
LINDSTRAND
MONTGOLFIER
POST
RINGENBERG
SCOTT
SIKORSKY
SOPWITH
WHITTEN-BROWN
WHITTLE
WILLIAMS
YEAGER

G	N	I	R	P	S	D	N	A	H	G	X	Y	U	N
O	T	H	I	G	H	S	T	A	N	D	R	S	A	U
R	U	S	H	N	O	I	T	I	T	E	P	M	O	C
E	F	C	I	D	O	S	L	K	T	L	D	P	E	L
D	W	H	T	S	P	B	C	T	I	A	T	N	N	B
A	U	O	C	D	M	O	O	T	E	K	O	Y	B	K
E	M	O	H	U	T	P	S	D	N	P	C	R	F	T
L	N	L	T	K	S	C	R	E	P	D	S	Q	K	I
R	A	O	C	H	O	R	E	O	G	R	A	P	H	Y
E	K	I	H	R	S	S	I	B	T	D	M	R	C	T
E	T	C	P	P	T	C	C	B	A	A	U	H	N	O
H	B	I	V	A	A	T	A	N	B	S	V	J	U	S
C	O	Z	N	Y	S	G	X	L	J	O	K	E	A	S
N	P	D	R	U	E	J	E	B	E	Z	N	E	L	W
K	S	P	M	U	J	P	O	M	P	O	N	S	T	E

BASKET
CHEERLEADER
CHOREOGRAPHY
COMPETITION
DEADMAN
ELEVATOR
HANDSPRING
HITCH
JUDGES
JUMPS
KNEE-STANDS
LAUNCH
MASCOT
MEGAPHONE
POMPONS
RIBBONS
SCALE
SCHOOL
SCORPION
SPLITS
SPOTTER
THIGH STAND
TICK TOCK
TOSS
TUMBLING

Word Search 31 MUSHROOMS

U	M	B	R	E	L	L	A	S	T	A	L	K	P	R
B	O	Q	E	Q	H	B	U	T	T	O	N	S	E	R
Y	H	N	H	S	E	R	O	P	S	S	T	I	A	S
N	O	S	I	O	P	B	P	S	U	I	S	E	U	T
C	I	R	A	G	A	Y	L	F	N	H	R	C	K	U
V	V	G	D	X	B	W	L	K	I	E	E	H	G	F
X	Y	T	O	E	E	O	H	L	V	P	M	A	R	F
M	E	V	F	L	T	O	L	L	E	I	O	M	A	E
R	A	L	B	T	R	A	I	E	S	L	O	P	E	D
B	S	I	F	N	B	S	N	M	T	E	R	I	D	E
Q	D	I	T	F	I	N	T	I	I	U	H	G	O	N
E	Q	V	F	A	U	K	U	I	R	S	S	N	O	N
Q	K	U	O	S	K	R	O	W	P	A	U	O	W	I
V	P	J	U	A	C	E	T	N	A	E	M	N	F	T
L	D	U	R	C	H	A	N	T	E	R	E	L	L	E

BOLETUS
BUTTON
CEPE
CHAMPIGNON
CHANTERELLE
CONE
EDIBLE
ENOKI
FLY AGARIC
MAITAKE
MARINATED
MUSHROOM
PILEUS
POISON
PUFFBALL
REISHI
SILVER EAR
SPORES
STALK
STINKHORN
STIPE
STUFFED
TINNED
TRUFFLE
UMBRELLA
WOOD EAR

A	N	C	B	B	F	U	D	J	K	A	O	K	N	C
F	U	D	H	C	A	O	K	D	R	C	S	N	I	L
A	K	G	E	A	R	S	Z	P	C	O	I	C	L	S
E	U	L	H	A	R	M	S	O	H	U	T	I	O	S
X	L	D	S	W	T	A	N	G	P	S	A	F	I	A
O	E	O	T	T	L	T	N	V	U	T	R	E	V	B
E	L	E	C	T	R	I	C	G	U	I	T	A	R	E
D	E	K	E	A	R	I	R	D	O	C	T	S	G	L
M	G	R	B	E	O	E	N	E	U	G	Y	A	A	B
I	Y	A	H	I	L	J	T	G	M	U	P	O	R	U
M	S	T	B	D	R	E	N	V	S	I	F	O	X	O
S	I	M	D	E	T	U	L	A	L	T	C	G	S	D
Z	Q	I	M	A	L	O	I	V	B	A	A	L	P	Q
H	F	P	I	A	N	O	M	H	A	R	P	J	U	A
X	N	A	N	I	R	A	M	A	B	M	O	R	T	D

ACOUSTIC GUITAR
BANJO
BASS GUITAR
CELLO
CHARANGO
CONTRABASS
DOUBLE BASS
DULCIMER
ELECTRIC GUITAR
FIDDLE
HARP
LUTE
PIANO
PSALTERY
SAROD
SITAR
STRINGS
TROMBA MARINA
UKULELE
VIOLA
VIOLIN
ZITHER

Word Search 33 NORTH PLACES

C	F	W	E	C	G	C	Q	Y	I	R	N	K	H	S
L	T	O	H	N	H	D	R	I	O	S	E	M	A	D
X	T	I	I	A	E	T	N	K	U	E	L	V	Y	T
L	N	D	N	R	N	T	S	A	O	C	N	A	I	Z
A	I	N	O	U	O	V	C	U	L	R	M	R	N	R
R	E	H	O	U	P	I	C	E	I	L	E	M	O	D
L	S	C	P	R	T	P	A	S	S	Y	O	A	T	B
Q	U	E	E	N	S	L	A	N	D	O	Y	H	E	A
S	Q	I	A	A	A	N	I	L	O	R	A	C	S	V
E	B	L	D	L	F	H	Y	J	S	K	R	T	R	I
L	T	U	X	C	O	R	X	H	L	S	T	E	E	E
A	T	O	K	A	D	N	I	Y	F	H	A	X	M	T
W	S	T	Q	R	X	R	D	C	Q	I	M	A	O	N
D	E	V	O	N	E	F	I	O	A	R	U	S	S	A
J	V	A	M	E	R	I	C	A	N	E	S	B	Q	M

AFRICA
AMERICA
ATLANTIC
AYRSHIRE
BORNEO
CAROLINA
CHANNEL
CHINA
COAST
COUNTRY
DAKOTA
DEVON
HOLLAND
ISLAND
KOREA
LONDON
PASS
QUEENSLAND
RIDING
RIVER
SHORE
SOMERSET
SUMATRA
TEXAS
VIETNAM
WALES
YORKSHIRE

Word Search 34

R	E	N	E	T	S	A	F	R	E	P	A	P	Z	Y
G	B	V	N	I	P	H	S	U	P	M	A	L	C	R
M	E	M	O	P	A	D	S	L	A	B	E	L	S	E
C	O	R	R	E	C	T	I	O	N	F	L	U	I	D
Y	P	Z	Y	J	O	M	L	Y	S	M	B	P	S	L
M	D	I	K	O	O	M	P	A	A	H	U	U	T	O
P	M	J	L	O	P	O	C	S	Q	S	L	E	I	F
D	F	C	R	C	C	A	K	R	S	P	L	S	C	A
G	A	A	S	O	C	I	P	G	P	E	D	R	K	L
B	E	P	T	H	N	I	N	E	P	N	O	E	Y	I
T	I	O	L	G	E	I	T	H	R	S	G	D	T	N
S	H	N	T	A	T	L	O	S	Z	C	C	I	A	A
P	S	A	D	E	G	N	V	P	A	P	L	V	P	M
P	P	O	E	E	E	E	J	E	K	L	I	I	E	I
E	E	M	B	O	R	H	L	V	S	Q	P	D	P	V

BINDER
BOSS
BULLDOG CLIP
CLAMP
CORRECTION FLUID
DIVIDERS
LABELS
LEGAL PAD
MANILA FOLDER
MASKING TAPE
MEETINGS
MEMO PAD
PAPER CLIP
PAPER FASTENER
PENS
PHOTOCOPY
PLASTIC CLIP
PUSHPIN
SHELVES
STICKY TAPE
STOOL
TEA ROOM
TELEPHONE

Word Search 35 ______ ACADEMY AWARDS

X	T	H	Z	G	J	H	S	A	R	C	J	B	H	J
I	H	D	E	M	L	P	N	E	M	U	T	S	O	C
N	E	N	X	A	E	A	B	G	D	S	R	A	T	S
E	H	P	E	E	T	E	D	I	W	E	I	Y	E	T
O	U	E	C	R	N	H	D	I	C	V	F	B	L	E
H	R	H	T	H	R	E	L	U	A	E	Q	E	S	V
P	T	T	U	T	N	I	D	E	L	T	Z	S	N	E
N	L	R	N	C	E	O	M	I	D	I	O	T	I	M
I	O	E	H	E	R	U	C	N	L	G	C	R	W	A
U	C	T	T	P	S	I	T	R	E	F	E	M	E	R
Q	K	I	T	O	T	E	A	A	W	L	D	R	T	T
A	E	R	M	Y	P	H	R	K	T	H	E	L	A	I
O	R	W	O	S	C	A	R	P	O	S	F	H	K	N
J	N	I	L	P	A	H	C	S	E	L	R	A	H	C
A	M	E	R	I	C	A	N	B	E	A	U	T	Y	H

AMERICAN BEAUTY
BEN HUR
BEST
CAPOTE
CHARLES CHAPLIN
CHARLIZE
COSTUME
CRASH
FELICITY
GLADIATOR
HEATH LEDGER
HELEN MIRREN
JOAQUIN PHOENIX
JUDI DENCH
KATE WINSLET
OSCAR
PRESENT
PRODUCER
SPEECH
STARS
STATUETTE
STEVE MARTIN
THE HURT LOCKER
WRITER

D	U	E	M	A	D	E	L	I	N	E	M	T	O	D
A	M	I	L	O	Q	M	A	C	K	I	M	A	M	M
M	I	C	H	E	L	L	E	V	T	V	A	A	E	A
A	I	L	O	N	G	A	M	C	E	R	D	S	U	R
N	A	D	P	I	S	R	H	I	V	M	I	S	Q	G
N	D	W	N	D	U	E	R	H	A	I	S	I	I	A
O	J	L	R	Y	L	O	L	N	M	A	O	L	N	R
I	C	Y	D	L	J	M	F	A	V	I	N	E	O	E
R	M	N	D	R	E	R	A	M	D	L	S	M	M	T
A	A	A	A	O	E	C	A	R	E	N	A	C	G	K
M	X	M	R	D	L	T	R	A	G	H	I	S	H	Z
A	W	M	D	S	T	E	H	A	T	O	L	L	X	A
C	E	I	A	H	H	C	M	R	M	E	T	A	E	K
E	L	V	E	R	I	A	A	E	I	N	A	L	E	M
Y	L	W	Z	M	K	M	L	N	E	E	R	U	A	M

MACEY
MACK
MADELINE
MADISON
MAGNOLIA
MANDY
MANFRED
MARCEL
MARGARET
MARGOT
MARION
MARJORIE
MARK
MARSHAL
MARTHA
MATTHEW
MAUREEN
MAXWELL
MELANIE
MELINDA
MELISSA
MELODY
MICHAEL
MICHELLE
MILO
MISCHA
MITCHELL
MONIQUE

Word Search 37 WATERWAYS

B	W	O	Z	F	C	J	C	F	V	B	N	R	L	L
Z	A	U	G	I	U	I	C	V	A	A	G	F	A	O
E	X	Y	T	U	T	U	B	Y	G	J	U	A	K	B
C	I	L	O	A	L	L	O	I	Y	L	L	E	E	I
S	A	R	I	F	A	F	H	R	F	R	F	S	N	A
B	V	R	E	C	B	C	O	H	A	J	O	L	Y	C
L	D	L	K	E	I	I	Z	F	C	L	F	A	A	A
A	Q	S	N	M	K	T	S	J	A	O	T	R	S	R
I	E	G	E	L	C	A	N	C	Y	L	H	A	A	A
A	A	K	C	H	M	G	L	A	A	S	A	O	H	M
L	A	C	I	F	I	C	A	P	L	Y	I	S	F	E
L	K	E	Z	P	N	T	E	X	T	T	L	N	K	K
S	T	R	A	I	T	O	F	M	A	L	A	C	C	A
G	U	L	F	O	F	T	O	N	K	I	N	N	Y	L
V	N	A	E	N	A	R	R	E	T	I	D	E	M	H

ADRIATIC
ARAL SEA
ATLANTIC
BALTIC
BAY OF BENGAL
BAY OF BISCAY
BLACK SEA
GULF OF ALASKA
GULF OF THAILAND
GULF OF TONKIN
LAKE ERIE
LAKE MARACAIBO
LAKE MICHIGAN
LAKE NYASA
MEDITERRANEAN
PACIFIC
STRAIT OF MALACCA

E	T	A	I	D	A	R	F	B	I	L	W	C	J	D
H	R	B	J	G	O	L	P	F	L	E	Z	S	O	F
Y	P	I	I	T	A	S	I	Z	L	T	R	O	S	I
V	F	K	F	M	H	R	F	I	U	I	W	R	E	R
E	Z	X	I	N	E	G	N	L	M	T	E	P	U	E
N	M	N	W	W	O	F	I	U	I	D	O	C	D	P
O	G	B	O	Y	E	B	V	L	N	C	P	S	I	L
I	U	O	E	R	V	Z	P	I	A	E	K	I	S	A
T	D	U	N	R	K	S	C	H	T	N	D	E	E	C
S	L	O	G	O	S	U	C	E	E	O	F	C	R	E
U	V	C	O	N	F	L	A	G	R	A	T	I	O	N
B	F	E	R	I	F	P	M	A	C	G	R	M	T	E
M	K	A	I	N	G	L	E	N	O	O	K	T	J	R
O	H	L	K	C	A	T	S	E	K	O	M	S	H	G
C	M	L	Z	M	F	I	R	E	S	I	D	E	G	Y

ALIGHT
BONFIRE
CAMPFIRE
CHAR
CINDERS
COMBUSTION
CONFLAGRATION
EMBERS
ENERGY
FIREPLACE
FIRESIDE
FIREWOOD
FLAMING
FLICKER
HEARTH
ILLUMINATE
INFERNO
INGLENOOK
RADIATE
RESIDUE
SMOKESTACK
SPLIT WOOD

Word Search 39 ____________ BOUDOIR

D	R	A	P	E	B	T	T	K	K	R	W	W	S	T
Z	Y	E	C	O	S	L	R	Q	W	A	Q	R	N	S
E	G	E	O	U	I	N	P	E	R	F	E	E	R	E
O	R	K	I	U	R	I	E	D	A	W	C	E	Y	L
B	S	U	Q	R	L	T	R	C	O	S	G	P	B	D
K	Y	C	T	L	E	O	A	L	N	N	U	O	M	N
O	W	P	O	C	B	G	F	I	A	I	Z	R	A	A
O	F	W	A	E	I	L	N	H	N	G	C	C	E	C
H	S	V	U	I	P	P	I	I	Q	H	U	E	R	S
T	N	E	M	A	N	R	O	N	L	T	S	L	C	E
A	O	E	L	B	A	T	L	B	D	G	H	A	D	V
O	S	L	E	W	E	J	I	J	J	O	I	I	N	P
C	B	L	A	N	K	E	T	N	M	W	O	N	A	A
M	A	T	T	R	E	S	S	O	G	N	N	K	H	J
A	M	F	N	I	G	H	T	S	T	A	N	D	F	K

BLANKET
BLIND
BOOKS
CANDLES
COAT HOOK
CURTAIN
CUSHION
DRAPE
FLOWERS
HAND CREAM
HANGERS
INCENSE
JEWELS
LINGERIE
MATTRESS
NIGHT GOWN
NIGHTSTAND
ORNAMENT
PAINTING
PICTURE
PILLOWS
PORCELAIN
QUILT
SCENT
TABLE
TREASURES
WARDROBE

K	Q	M	B	V	N	E	S	E	E	H	C	I	N	T
E	U	F	L	O	C	K	N	M	R	M	K	O	I	S
E	A	Q	S	Y	P	P	I	L	E	U	T	Q	U	A
L	D	A	S	K	C	L	E	R	O	T	T	O	C	N
A	R	I	N	P	K	H	I	R	U	C	R	S	R	T
A	U	B	R	O	L	N	T	M	E	O	N	U	A	N
B	P	M	O	L	O	I	F	R	V	N	M	I	I	P
A	E	U	H	W	S	X	V	I	O	I	D	L	L	O
A	D	L	T	A	Q	U	B	E	N	W	O	A	Z	L
B	Z	O	M	R	C	R	F	A	S	N	P	A	L	L
X	M	C	W	T	E	G	N	F	A	T	K	O	O	E
M	N	R	Q	H	U	T	D	L	O	E	O	V	O	D
S	H	E	A	R	I	N	G	W	N	L	T	C	P	C
T	R	O	F	E	U	Q	O	R	H	R	K	L	K	G
N	W	O	R	B	C	O	R	R	I	E	D	A	L	E

BAA BAA
BROWN
CHEESE
COLUMBIA
COOPWORTH
CORRIEDALE
FLOCK
HERBIVOROUS
HORNS
LANOLIN
LINCOLN
LIVESTOCK
MERINO
MILK
MUTTON
PASTURE
PERENDALE
POLLED
POLWARTH
QUADRUPED
ROQUEFORT
RUMINANT
SHEARING
SUFFOLK

Word Search 41 ____________ B SURNAMES

R	F	B	A	L	L	A	N	T	I	N	E	K	H	R
S	J	B	A	U	E	R	N	B	B	S	L	C	E	B
N	I	W	D	L	A	B	O	W	U	A	A	I	L	I
I	B	R	A	D	Y	N	B	A	O	B	D	A	W	T
M	E	B	J	Y	D	M	H	E	L	R	C	E	D	B
A	C	A	G	P	S	K	B	L	L	K	B	R	R	X
J	U	X	X	I	C	R	E	Q	M	L	A	T	U	B
N	R	T	U	A	E	W	B	A	G	E	T	S	H	A
E	B	E	B	N	G	A	N	A	B	M	T	J	C	L
B	K	R	N	A	R	Y	N	B	R	J	L	L	A	D
A	B	A	B	T	Z	K	E	Y	E	R	E	J	E	E
T	N	S	L	A	G	Q	L	L	C	C	E	M	B	R
E	W	E	Z	B	A	K	E	R	I	Q	K	R	Q	A
S	T	H	Z	E	A	B	E	P	P	A	D	E	A	S
T	E	I	S	A	R	E	D	N	A	B	B	P	R	R

BACH
BACKHAUS
BADER
BAEZ
BAGWELL
BAILEY
BAKER
BALDERAS
BALDWIN
BALLANTINE
BANDERAS
BARRERA
BARTLETT
BATES
BATTLE
BAUER
BAXTER
BEACH
BEARD
BECKER
BELL
BENJAMIN
BLACKMAN
BLAKE
BOND
BRADY
BRENNAN
BROWN
BRUCE

Word Search 42

U	P	H	O	B	I	C	G	N	I	D	A	E	R	D
Y	B	P	D	E	I	R	R	O	W	E	I	L	R	H
H	T	I	F	N	A	S	W	Y	R	A	U	E	U	C
Y	U	E	A	Y	A	V	T	R	H	F	G	A	I	N
S	G	M	G	C	W	N	A	R	T	C	S	T	E	D
T	K	D	J	D	S	T	X	E	E	S	T	U	R	E
E	E	I	I	A	I	D	R	I	E	S	R	I	X	T
R	F	Y	T	C	N	F	E	R	O	O	S	C	W	A
I	Y	P	T	T	Z	X	T	R	T	U	I	E	X	T
C	K	M	E	H	I	S	I	I	E	T	S	G	D	I
A	C	U	R	Y	I	S	C	E	E	H	Q	E	E	G
L	I	J	Y	D	P	R	H	D	T	G	T	K	T	A
S	N	U	N	N	E	R	V	E	D	Y	W	O	U	F
H	A	G	N	N	E	K	C	I	R	T	S	L	B	M
Y	P	A	P	P	R	E	H	E	N	S	I	V	E	N

AGITATED
ANXIETY
ANXIOUS
APPREHENSIVE
BOTHERED
DISTRESS
DREADING
EDGY
ERRATIC
EXCITED
FIDGETY
FRETFUL
HYSTERICAL
JITTERY
JUMPY
MANIC
NEUROTIC
PANICKY
PHOBIC
SHY
SKITTISH
STRESSED
STRICKEN
TWITCHY
UNNERVED
WORRIED

Word Search 43 THAILAND

S	E	L	I	D	O	C	O	R	C	S	M	W	M	B
P	V	T	E	K	R	A	M	A	K	I	E	N	A	R
I	S	L	A	M	P	N	A	R	K	G	N	O	S	E
E	C	Q	M	A	G	K	H	A	O	P	A	D	S	D
S	H	W	I	I	D	N	D	M	R	S	F	W	A	N
E	I	L	C	S	M	I	O	M	M	M	F	J	M	A
C	A	S	X	H	M	C	U	R	O	A	Z	R	A	I
N	N	U	T	U	I	A	H	N	U	F	Y	D	N	R
I	G	V	H	N	Y	L	S	A	N	T	R	M	A	O
V	M	E	S	T	A	O	L	A	T	A	N	Y	O	C
O	A	S	H	A	O	H	M	I	P	U	A	I	T	T
R	I	A	G	N	T	P	P	O	E	T	C	I	B	L
P	I	K	S	C	R	H	E	E	T	S	G	H	S	D
T	R	L	V	I	G	L	O	A	L	E	H	G	A	M
V	F	S	K	N	O	M	P	N	R	E	X	Q	L	K

BINTURONG
CHATUCHAK
CHIANG MAI
CHILLIES
CORIANDER
CROCODILES
ELEPHANTS
HUMID
ISLAM
KHAO PAD
LEOPARD
MARKET
MASSAMAN
MONKS
MONSOONS
MUAY THAI
NAM PRIK
PATTAYA
PROVINCES
RAMAKIEN
SATHON
SIAM
SONGKRAN
TIGER
TOM YAM
VESAK

T	P	W	C	O	R	P	O	R	A	T	E	X	C	B
N	I	M	E	U	N	E	V	A	K	R	A	P	A	U
E	S	C	I	N	D	I	V	I	D	U	A	L	R	S
D	S	P	I	H	S	N	O	I	T	A	L	E	R	I
N	O	E	P	V	T	S	T	M	I	M	H	N	I	N
E	G	W	S	W	L	N	A	S	T	D	A	L	E	E
P	U	B	L	I	C	R	E	L	A	T	I	O	N	S
E	G	E	I	N	R	H	W	D	T	Z	J	T	S	S
D	D	G	M	I	M	H	A	A	I	H	W	A	T	W
N	G	R	A	O	V	U	H	N	S	F	M	I	E	O
I	K	G	E	N	T	N	L	I	D	A	N	Z	V	M
T	E	O	A	S	A	I	L	O	N	B	T	O	E	A
X	X	D	V	M	S	Y	O	T	C	W	A	Y	C	N
X	I	C	W	Q	T	E	H	N	G	Z	N	G	E	B
A	Y	N	C	S	Y	A	S	O	S	B	N	S	S	K

AIDAN
BUSINESSWOMAN
CARRIE
COLUMN
CONFIDENT
CORPORATE
DRESSES
EMOTIONS
GOSSIP
HANDBAGS
INDEPENDENT
INDIVIDUAL
MANHATTAN
MARRIAGE
PARK AVENUE
PUBLIC RELATIONS
RELATIONSHIPS
SAMANTHA
STEVE
STYLISH

Word Search 45 — CLASSICAL COMPOSERS

Y	H	C	I	V	O	K	A	T	S	O	H	S	P	W
K	R	I	M	S	K	Y	K	O	R	S	A	K	O	V
S	M	E	N	D	E	L	S	S	O	H	N	Y	R	L
V	E	D	L	L	W	I	T	B	U	P	J	T	A	S
O	H	E	W	W	I	R	A	M	F	W	Q	I	C	T
K	G	B	F	Q	A	L	P	L	J	V	L	V	H	R
I	E	U	I	U	G	E	L	N	O	E	L	S	M	A
A	K	S	S	N	R	E	E	E	H	C	C	B	A	V
H	C	S	I	D	I	V	R	C	M	H	I	K	N	I
C	O	Y	I	B	O	S	N	S	U	M	N	N	I	N
T	H	N	Y	H	E	A	S	M	H	E	O	U	N	S
E	C	A	T	B	K	L	A	O	L	W	M	J	O	K
K	L	E	Y	R	F	N	I	E	R	W	I	S	F	Y
C	E	V	T	D	N	C	Z	U	G	C	F	N	F	Q
B	B	A	C	H	N	I	E	T	S	N	R	E	B	J

BACH
BEETHOVEN
BERNSTEIN
DEBUSSY
FRYE
GERSHWIN
HAYDN
HUMPERDINCK
JOMMELLI
KANCHELI
MENDELSSOHN
NICOLAI
OCKEGHEM
RACHMANINOFF
RIMSKY-KORSAKOV
ROSSINI
SCHUMANN
SHOSTAKOVICH
SIBELIUS
STRAUSS
STRAVINSKY
TCHAIKOVSKY
ZELENKA

K	R	E	N	E	P	O	E	L	T	T	O	B	J	L
M	E	C	V	U	G	O	R	H	S	X	G	G	L	C
E	C	H	O	K	T	E	M	C	K	C	G	I	T	H
L	I	R	D	O	D	C	R	G	A	O	M	N	E	O
O	L	J	E	N	K	A	R	K	D	R	R	G	K	P
N	S	I	I	T	P	I	E	A	E	Q	Q	H	S	P
B	G	R	M	E	T	R	E	P	C	R	B	R	A	I
A	G	D	R	D	A	I	P	C	E	K	J	H	B	N
L	E	V	J	C	O	E	P	T	U	A	E	Q	G	G
L	B	K	K	M	P	O	S	Y	J	T	M	R	N	B
E	U	A	D	E	V	E	F	A	R	C	T	O	I	L
R	B	U	Q	Q	Z	E	C	H	U	R	N	E	Y	O
B	I	S	C	U	I	T	C	U	T	T	E	R	R	C
G	A	R	L	I	C	P	R	E	S	S	T	H	F	K
C	R	E	R	O	C	E	L	P	P	A	D	E	C	T

APPLE CORER
BISCUIT CUTTER
BOTTLE OPENER
CAKE RACK
CHERRY PITTER
CHOPPING BLOCK
CHURN
COOKIE CUTTER
EGG SLICER
FOOD MILL
FRYING BASKET
GARLIC PRESS
GRINDER
MELON BALLER
NUTCRACKER
PEPPER MILL
SCRAPER
ZESTER

Word Search 47 COMMON COLD

W	S	S	P	T	S	Z	T	B	I	R	N	Z	S	E
H	A	C	N	U	N	I	H	O	A	O	U	E	U	S
A	L	R	R	E	S	E	A	L	C	Y	Y	G	E	U
N	I	I	D	S	E	O	M	U	S	E	I	R	H	O
D	V	B	U	O	S	Z	R	T	D	T	Y	E	C	I
K	A	E	S	E	F	E	E	E	A	D	N	S	A	G
E	S	V	H	J	P	F	R	F	T	E	R	T	D	A
R	S	C	R	A	T	C	H	Y	T	H	R	O	A	T
C	A	R	U	N	N	Y	N	O	S	E	R	T	E	N
H	D	E	E	R	V	H	C	T	A	C	L	O	H	O
I	Y	R	O	T	A	R	I	P	S	E	R	M	A	C
E	F	Q	H	A	N	D	W	A	S	H	I	N	G	T
F	V	I	T	A	M	I	N	C	Q	L	M	X	K	M
F	K	L	N	O	L	D	W	Q	D	I	E	Z	Z	G
P	X	F	S	C	I	S	E	G	L	A	N	A	J	E

ACHES	MILD	SNEEZE
ANALGESICS	NO CURE	SORE THROAT
CATCH	RED EYES	TISSUES
CONTAGIOUS	RESPIRATORY	TREATMENT
FATIGUE	REST	VIRUS
HANDKERCHIEF	RUNNY NOSE	VITAMIN C
HAND-WASHING	SALIVA	WARD OFF
HEADACHE	SCRATCHY THROAT	WINTER

D	C	H	O	C	O	L	A	T	E	A	H	T	S
S	C	O	N	E	S	T	M	F	B	E	E	I	A
M	A	E	R	C	D	O	R	P	N	T	R	E	F
H	A	D	Z	S	R	U	G	O	O	H	B	R	T
R	C	W	L	N	I	N	U	W	O	G	A	X	E
I	O	I	I	T	R	F	Z	N	P	I	L	T	R
X	C	N	W	E	Q	E	X	Z	S	H	Y	T	N
E	G	V	C	D	O	S	S	E	R	P	S	E	O
F	N	U	T	K	N	E	C	O	F	F	E	E	O
P	A	A	D	E	S	A	A	O	H	C	R	S	N
S	L	N	S	E	A	V	S	F	M	A	A	W	N
H	U	A	E	S	U	B	F	E	G	R	P	K	G
C	Z	H	T	R	I	Q	A	U	Z	W	L	Y	E
S	C	B	E	E	F	T	S	G	D	A	E	R	B

AFTERNOON
BREAD
CAKE
CHEESE
CHOCOLATE
COFFEE
CREAM
ESPRESSO
FRUIT
HERBAL
HIGH TEA
MORNING
PLATE
SANDWICH
SAUCER
SCONES
SLICE
SPOON
SUGAR
TEABAG
TIER
TISSANE

Word Search 49 ____ CREATURE FEATURES

G	P	E	M	V	T	H	Y	S	L	E	H	Y	X	E
S	E	A	G	U	C	U	U	I	N	L	K	A	L	J
R	L	R	G	U	Z	D	S	I	I	O	I	T	I	G
E	T	S	O	D	D	Z	P	K	R	D	T	G	G	R
K	W	P	J	E	P	S	L	O	O	A	M	K	I	Y
S	A	L	R	U	P	U	W	E	W	D	F	I	X	M
I	P	H	T	E	E	T	E	H	V	T	F	R	R	S
H	A	S	I	C	S	O	B	O	R	P	S	C	P	E
W	N	D	M	A	W	F	B	L	B	J	L	E	W	L
J	T	T	L	I	E	P	E	J	L	A	X	P	R	A
P	L	U	M	A	G	E	D	D	W	I	L	U	G	C
S	E	J	T	B	N	K	F	A	M	M	U	E	S	S
P	R	H	I	G	A	Z	E	Q	T	V	V	Q	E	Y
P	E	L	R	A	S	H	E	L	L	T	A	O	C	N
R	L	L	K	N	U	R	T	F	L	I	P	P	E	R

ANTLER
BALEEN
BILL
CLAW
COAT
CREST
EARS
FEATHER
FLIPPER
GILL
HAIR
MAW
MUZZLE
PAW
PELT
PLUMAGE
POUCH
PROBOSCIS
QUILL
SCALES
SHELL
SPINE
TEETH
TRUNK
TUSK
UDDER
WATTLE
WEBBED FEET
WHISKERS

Word Search 50

N	A	S	T	U	R	T	I	U	M	R	N	Y	S	N
H	S	M	O	S	S	O	L	B	R	E	A	L	E	A
K	G	G	N	M	U	L	P	U	X	D	Y	R	I	W
M	O	A	A	O	E	X	O	Y	S	N	B	L	S	U
A	U	R	X	N	M	V	E	H	N	E	O	M	N	M
R	R	N	N	S	A	E	Z	M	J	V	S	I	A	A
I	M	I	N	L	T	C	L	U	A	A	C	O	P	V
G	E	S	F	Z	S	R	H	G	C	L	X	M	R	D
O	T	H	J	W	L	J	E	A	M	C	P	E	L	E
L	H	Y	E	L	A	D	O	S	M	I	H	I	W	O
D	N	E	Z	S	N	B	O	O	S	O	M	I	C	G
Z	T	F	M	O	C	H	I	V	E	E	M	O	N	L
B	V	I	M	M	Y	Q	C	W	L	O	D	I	S	I
B	N	L	A	D	E	F	F	U	T	S	H	L	L	A
E	A	P	Q	G	E	R	A	N	I	U	M	F	T	E

ALMOND
BLOSSOMS
CHAMOMILE
CHIVE
DESSERTS
FLAVOUR
GARNISH
GERANIUM
GOURMET
JASMINE
LAVENDER
LEMON
LOVAGE
MARIGOLD
MILD
MIMOSA
NASTURTIUM
PANSIES
PLUM
ROSES
STUFFED
SWEET
ZUCCHINI

Word Search 51 ________ SPACE TRAVEL

F	D	S	T	U	A	N	O	R	T	S	A	P	M	K
T	Q	R	E	G	A	Y	O	V	G	F	L	Y	B	Y
D	R	P	S	W	T	M	E	S	S	E	N	G	E	R
S	V	O	S	P	A	C	E	S	H	U	T	T	L	E
R	T	A	Y	A	U	L	A	E	O	N	E	G	R	E
S	X	A	L	E	A	T	X	P	O	O	C	I	I	T
P	A	N	T	U	V	P	N	I	M	O	H	G	M	I
A	T	S	N	I	L	R	T	I	S	I	N	K	S	L
C	R	C	T	O	O	A	U	M	K	D	O	E	V	L
E	H	E	R	R	R	N	O	S	N	T	L	M	H	E
W	R	E	T	O	O	N	N	U	L	P	O	A	Z	T
A	R	C	L	I	A	N	S	N	M	W	G	R	D	A
L	O	P	L	U	P	E	O	A	O	F	Y	S	G	S
K	X	L	T	C	H	U	S	M	T	I	B	R	O	O
E	P	S	Z	T	W	U	J	G	Y	D	U	C	E	N

ASTRONAUTS
ASTRONOMY
COSMONAUTS
EXPLORATION
EXPLORER
FLYBY
IMPACT
JUPITER
LAUNCH
MARS
MESSENGER
MIR
ORBIT
SAMPLES
SATELLITE
SPACE SHUTTLE
SPACEWALK
SPUTNIK
STATION
SURVEYOR
TECHNOLOGY
THE SUN
VOYAGER

Word Search 52

G	A	M	E	H	M	H	P	S	F	H	M	P	Y	X
M	E	A	T	B	A	L	L	I	A	P	S	E	G	Y
S	H	S	C	Y	H	M	L	E	H	R	U	E	P	L
P	W	G	M	E	D	L	B	E	L	S	D	L	L	P
A	E	M	F	O	E	K	A	U	P	T	I	I	O	F
T	L	B	T	T	K	S	C	O	R	V	R	H	N	E
C	L	O	N	T	A	E	H	U	E	G	C	U	S	E
H	D	O	G	N	B	C	D	R	D	K	E	U	T	K
C	O	R	T	S	R	A	W	E	R	T	O	R	E	I
O	N	A	R	A	E	U	X	O	E	R	S	Y	S	P
C	E	G	F	U	R	I	P	Y	G	R	B	A	O	P
K	V	N	V	S	M	E	A	T	L	O	A	F	O	E
K	J	A	T	A	Q	N	O	S	I	N	E	V	G	R
C	T	K	U	G	R	S	G	E	L	S	G	O	R	F
P	O	R	T	E	R	H	O	U	S	E	D	A	L	B

BAKED HAM
BLADE
CHOP SUEY
DEER
FILLET
FLESH
FROGS LEGS
GAME
GOOSE
GROUSE
HAMBURGERS
KANGAROO
KIPPER
LIVERWURST
MEATBALL
MEATLOAF
MIXED GRILL
PHEASANT
PORK CHOP
PORTERHOUSE
ROAST DUCK
SARDINE
SAUSAGE
SMOKED
SPATCHCOCK
TURTLE
VENISON
WELL DONE

Word Search 53 ________

GIRO D'ITALIA CYCLE RACE

N	O	I	T	A	C	I	F	I	S	S	A	L	C	Y
E	Y	F	R	O	G	E	T	R	U	W	U	S	N	E
N	L	E	D	E	S	N	E	W	P	U	R	C	E	S
I	L	I	S	R	D	D	I	D	R	U	E	D	W	R
L	Q	U	U	R	I	J	E	T	O	Q	G	L	S	E
H	G	O	I	R	E	S	E	T	F	R	Q	J	P	J
S	C	F	F	G	C	J	D	R	E	A	B	X	A	E
I	O	E	N	E	I	N	K	E	S	N	R	D	P	T
N	W	S	N	B	A	G	N	N	S	E	V	D	E	I
I	A	T	S	R	Z	J	A	W	I	U	Y	S	R	H
F	S	P	G	A	E	M	T	N	O	P	E	E	S	W
A	L	B	E	R	T	O	C	O	N	T	A	D	O	R
E	E	R	S	T	A	M	I	N	A	A	T	S	X	C
U	S	E	L	C	Y	C	I	B	L	G	T	A	M	W
G	Y	S	H	A	L	L	R	O	U	N	D	E	R	Y

ALBERTO CONTADOR
ALL ROUNDER
BICYCLES
CLASSIFICATION
COURSE
DESCENTS
DRAFTING
FINISH LINE
GRAND TOURS
GREEN JERSEY
LUIGI GANNA
NEWSPAPERS
PINK JERSEY
PROFESSIONAL
RED JERSEY
RIDERS
STAMINA
WHITE JERSEY

H	T	O	M	R	U	N	N	E	R	P	N	D	R	C
B	V	B	V	X	M	P	E	O	B	Y	O	I	A	J
E	D	D	I	R	E	V	O	L	C	O	C	R	M	S
N	G	C	R	A	L	S	D	T	F	E	O	W	C	T
G	O	H	S	I	A	U	E	L	A	B	L	A	B	U
A	Z	I	Q	M	E	P	G	N	U	M	S	P	P	N
L	N	C	K	D	A	D	N	G	A	L	A	I	A	A
G	A	K	G	R	E	K	D	I	I	V	M	G	E	E
R	B	P	Y	R	T	G	I	T	E	E	I	E	P	P
A	R	E	J	E	E	L	N	D	S	T	L	O	W	A
M	A	A	V	A	U	E	V	I	N	E	O	N	O	Z
E	G	L	L	K	L	Y	N	E	W	E	S	R	C	U
D	E	Y	E	K	C	A	L	B	T	E	Y	L	P	K
V	A	L	F	A	L	F	A	Y	Y	C	K	K	U	I
G	Z	X	M	E	S	Q	U	I	T	E	H	Z	C	P

ALFALFA
AZUKI
BENGAL GRAM
BLACK-EYED
CAROB
CHICKPEA
CLOVER
COWPEA
CROP
DRIED
FOOD
GARBANZO
GREEN
KIDNEY
LABLAB
LENTILS
LIMA
MASOOR
MESQUITE
MOTH
MUNG
PEANUTS
PEAS
PIGEON
PROTEIN
PULSES
RICE
RUNNER
TEPARY
VELVET
VETCH
WINGED

Word Search 55 BL WORDS

B	L	I	Z	Z	A	R	D	U	R	E	T	T	I	B
C	L	B	L	U	B	B	E	R	Z	B	B	B	H	T
D	X	U	G	W	H	S	P	E	L	B	L	U	F	F
I	D	O	N	U	E	C	S	O	Z	A	A	C	Z	I
H	L	Z	T	D	I	L	U	I	D	A	N	Q	M	W
B	L	E	E	D	E	S	B	E	L	B	K	X	L	E
L	L	B	L	U	E	R	K	T	G	B	E	O	T	R
B	W	A	T	R	E	Z	A	L	B	B	T	I	B	E
L	H	B	R	S	I	O	E	G	L	C	B	B	L	P
I	C	O	B	E	A	M	M	O	S	I	L	D	U	O
S	A	L	L	L	A	L	N	S	K	U	O	N	N	O
T	E	B	B	L	O	D	B	C	S	O	O	E	T	L
E	L	H	B	L	E	C	A	H	L	E	M	L	N	B
R	B	I	A	M	I	L	K	B	R	U	L	B	X	Y
F	P	R	Z	X	B	P	K	N	I	L	B	B	M	C

BLACK
BLADE
BLAME
BLANKET
BLARE
BLAST
BLAZER
BLEACH
BLEED
BLEND
BLESS
BLEW
BLINK
BLIP
BLISS
BLISTER
BLIZZARD
BLOB
BLOCK
BLOG
BLONDE
BLOOD
BLOOM
BLOOPER
BLOUSE
BLUBBER
BLUE
BLUFF
BLUNDER
BLUNT
BLUR
BLUSH

G	X	R	E	T	E	M	O	M	R	E	H	T	B	I	I
E	R	R	J	N	E	O	N	T	E	T	R	A	E	V	S
N	Y	A	H	S	I	F	L	E	G	N	A	R	L	W	G
I	E	F	V	O	S	S	I	Y	S	V	U	C	O	D	V
M	C	I	S	E	K	G	P	N	P	T	X	R	Y	S	A
A	N	L	E	R	L	U	A	E	A	M	D	Y	W	T	D
R	A	T	I	Q	E	I	V	R	C	T	I	S	M	A	E
O	N	R	P	H	L	S	E	H	A	I	E	R	Q	N	C
L	E	A	P	S	S	P	S	I	Q	I	E	U	H	D	O
H	T	T	U	Z	M	I	L	I	L	L	A	S	T	S	R
C	N	I	G	E	F	S	F	L	K	R	O	A	T	V	A
K	I	O	T	R	T	M	O	T	I	K	L	A	I	Y	T
G	A	N	E	N	Y	M	B	U	A	Z	N	M	C	S	I
Y	M	G	A	I	O	K	M	R	Q	C	H	I	T	H	O
S	I	L	V	E	R	D	O	L	L	A	R	S	P	R	N
T	P	B	L	A	C	K	T	E	T	R	A	M	O	J	S

ANGEL FISH
AQUARIUM
BLACK TETRA
CATFISH
CHLORAMINE
DECORATIONS
FILTRATION
GRAVEL
GUPPIES
KOI
LOACH
MAINTENANCE
MOLLIES
NEON TETRA
PINK KISSERS
PLANTS
SHRIMP
SILVER DOLLARS
SNAILS
SPECIES
STAND
SWORDTAILS
TEMPERATURE
THERMOMETER
TIGER FISH

Word Search 57 ________________ BISON

O	K	N	X	A	R	I	A	H	T	R	O	H	S	Y
V	X	N	V	R	D	H	E	R	D	S	P	L	L	B
X	Y	L	W	J	U	M	G	N	O	R	T	S	X	A
M	W	K	I	O	K	T	E	Z	A	R	G	D	C	K
L	A	L	C	K	R	H	T	I	Z	S	G	I	O	N
T	A	M	C	O	E	B	R	I	H	Z	R	C	L	O
S	X	R	M	M	T	I	K	A	N	E	E	G	A	M
E	N	D	G	A	E	S	G	R	M	G	A	R	F	A
W	O	D	M	E	L	G	W	A	A	S	T	A	F	D
D	H	E	A	V	Y	O	O	L	Z	D	P	S	U	I
L	V	M	T	M	L	V	L	C	G	R	L	S	B	C
I	A	E	A	L	B	O	V	I	N	E	A	E	M	D
W	T	N	A	O	P	I	M	I	Z	G	I	S	T	D
I	E	W	A	T	R	K	K	Y	X	A	N	J	U	I
C	U	R	V	E	D	H	O	R	N	S	S	M	Z	W

AMERICA
BOVINE
BUFFALO
CURVED HORNS
DARK BROWN
GALLOP
GRASSES
GRAZE
GREAT PLAINS
HEAVY
HERDS
LARGE
MAMMAL
MUD
NOMADIC
OX-LIKE
PRAIRIE
ROAM
RUTTING
SHAGGY MANE
SHORT HAIR
STOCKY
STRONG
WALLOW
WILD WEST

D	G	R	U	B	S	E	N	N	A	H	O	J	T	N
S	T	R	I	N	D	B	E	R	G	G	Q	Y	Z	S
S	C	G	R	S	Y	H	F	H	R	J	H	O	T	N
T	G	B	R	K	T	L	A	E	M	G	C	R	Y	T
P	Q	R	H	U	E	R	B	M	R	J	A	T	G	B
E	P	N	U	B	B	S	A	E	B	S	A	H	R	A
T	G	I	I	B	L	N	B	S	B	U	E	C	U	T
E	R	C	T	R	N	D	E	O	B	I	R	B	O	T
R	E	J	A	T	N	E	U	D	S	E	K	G	B	E
S	B	J	Z	I	S	R	D	E	N	N	R	T	M	N
B	S	M	L	O	G	B	N	N	X	A	E	G	E	B
U	L	E	M	B	B	B	U	K	I	D	R	A	X	E
R	R	E	D	B	E	R	G	R	R	H	O	B	U	R
G	A	J	B	R	P	H	M	M	G	J	G	F	L	G
M	C	B	G	G	R	U	B	N	E	H	T	O	G	R

BATTENBERG
BRANDENBURG
CARLSBERG
EDBERG
GOTHENBURG
HAMBURG
HEISENBERG
HINDENBURG
JARLSBERG
JOHANNESBURG
LINDBERGH
LUXEMBOURG
PITTSBURGH
ST PETERSBURG
STRASBERG
STRASBOURG
STRINDBERG

Word Search 59 ______ ARIES FOLK

K	D	A	F	R	W	C	C	T	S	M	S	A	H	I
S	U	N	I	W	E	O	H	U	C	A	N	O	E	M
D	Z	C	R	F	U	R	O	A	E	E	Y	P	A	P
T	E	P	E	R	O	I	O	D	L	R	R	G	D	U
A	J	T	A	A	T	R	I	L	D	L	N	I	C	L
K	Y	G	O	I	D	W	T	O	P	I	E	O	D	S
E	E	O	B	V	E	V	C	U	V	X	N	N	W	I
C	R	M	D	N	E	T	E	O	N	F	E	Z	G	V
H	A	Z	I	Q	O	D	L	N	I	E	G	R	K	E
A	Z	S	D	R	E	E	L	D	T	C	H	A	R	M
R	E	E	N	O	I	P	E	Y	F	U	L	A	M	W
G	Z	F	A	G	L	N	T	S	E	I	R	A	A	L
E	V	O	C	P	T	H	N	B	D	A	S	E	R	E
S	A	I	L	O	R	X	I	E	S	N	A	I	R	A
H	C	G	S	E	L	F	R	E	L	I	A	N	T	Z

ADVENTURE
AMBITIOUS
ARIANS
ARIES
CANDID
CHALLENGE
CHARM
CONFIDENT
COURAGE
DEVOTED
DIRECT
DOCTOR
EXPLORER
FIRE
FORTUNE
HEAD
IMPULSIVE
INTELLECT
LOVING
NEW IDEAS
PIONEER
RAM
RED
SAILOR
SELF RELIANT
SUN
TAKE CHARGE

A	F	G	D	Q	Q	O	V	E	R	L	O	C	K	R
G	P	O	F	N	A	U	R	K	W	O	O	H	O	C
P	A	P	D	K	R	W	I	N	H	T	N	L	D	T
G	O	Z	L	O	Q	E	J	L	T	U	I	G	B	A
N	D	L	G	I	A	X	T	O	T	A	U	O	S	P
I	S	S	Y	I	Q	I	N	T	T	I	B	J	E	E
C	A	A	E	E	Z	U	O	W	A	B	N	G	A	M
A	I	T	B	U	S	G	E	T	I	P	E	G	M	E
F	B	I	E	F	O	T	H	N	T	L	H	D	S	A
R	R	N	U	A	O	G	E	A	T	N	A	A	T	S
E	M	B	R	O	I	D	E	R	F	R	G	U	R	U
T	Y	P	W	A	J	L	N	O	T	T	U	B	E	R
N	J	L	R	E	P	C	X	C	M	J	T	G	S	E
I	X	T	J	B	H	S	R	O	S	S	I	C	S	D
J	S	S	E	W	I	N	G	M	A	C	H	I	N	E

APPLIQUE
BIAS
BOBBIN
BUTTON
COTTON
DART
EMBROIDER
INTERFACING
OVERLOCK
PATTERN
PLEAT
POLYESTER
QUILTING
SATIN
SCISSORS
SEAMSTRESS
SEWING MACHINE
STRAIGHT
TAILOR
TAPE MEASURE
ZIGZAG

Word Search 61 ____________ CERAMICS

Q	Z	K	N	I	F	E	B	L	A	D	E	S	T	O
Y	J	A	K	E	T	I	N	I	L	O	A	K	N	C
E	O	N	D	Q	D	I	G	A	G	L	A	Z	E	A
N	S	I	J	D	A	E	V	U	S	E	S	A	V	S
I	H	H	S	M	L	A	C	A	R	C	M	B	A	T
L	S	C	F	U	Z	R	R	O	S	I	T	N	S	I
L	T	E	E	G	O	T	C	I	R	A	N	K	Q	N
A	O	N	O	M	W	H	D	I	B	A	C	E	E	G
T	N	O	Q	O	E	E	P	L	T	I	T	T	S	H
S	E	B	R	A	K	N	E	R	R	S	L	I	A	Y
Y	W	K	I	A	K	W	T	B	O	O	E	R	V	Y
R	A	H	R	V	A	A	Y	S	M	M	D	M	M	E
C	R	B	J	R	B	R	V	Y	E	E	A	B	O	P
X	E	S	E	B	S	E	C	A	N	R	U	F	F	D
K	S	C	R	A	T	C	H	P	R	O	O	F	F	B

AMORPHOUS
ARTWORK
BONE CHINA
BRAKE DISCS
BRICKS
CASTING
CEMENTS
CRYSTALLINE
DECORATIVE
DOMESTIC
EARTHENWARE
FIGURINES
FURNACES
GLAZE
HARDEN
KAOLINITE
KNIFE BLADES
MOLTEN
SCRATCHPROOF
STONEWARE
TABLEWARE
VASES

D	T	P	A	G	R	E	B	N	E	O	H	C	S	I
Z	R	X	U	W	F	W	B	I	Z	E	T	N	B	N
B	A	Y	K	R	T	E	L	E	M	A	N	N	U	I
G	Z	B	L	C	C	N	N	A	M	U	H	C	S	S
J	O	Q	E	L	U	E	H	E	G	G	I	E	O	S
M	M	I	O	E	U	L	L	E	D	N	A	H	N	O
E	U	Y	T	O	T	L	G	L	I	N	K	A	I	R
Y	A	S	O	T	C	H	A	I	K	O	V	S	K	Y
E	E	R	S	X	A	C	O	P	Z	E	N	A	T	I
R	M	C	K	O	A	L	U	V	R	T	N	V	N	A
B	A	O	I	V	R	C	R	D	E	A	U	I	Y	D
E	R	X	A	X	C	G	I	A	T	N	L	H	I	A
E	L	L	L	I	E	W	S	E	C	L	B	R	C	M
R	L	X	N	K	W	F	M	K	E	S	E	C	J	S
A	X	I	N	M	G	S	I	B	Y	P	C	L	H	A

ADAMS
BEETHOVEN
BELLINI
BIZET
BUSONI
CAVALLA
GLINKA
GLUCK
HANDEL
HEGGIE
LULLY
MEYERBEER
MOZART
MUSSORGSKY
PERI
PUCCINI
PURCELL
RAMEAU
ROSSINI
SCARLATTI
SCHOENBERG
SCHUMANN
SCHUTZ
SMETANA
TCHAIKOVSKY
TELEMANN
VERDI
WEILL

Word Search 63 SUN WORDS

Z	D	R	H	U	S	U	N	S	T	R	O	K	E	J
W	E	D	N	U	S	T	S	R	U	B	N	U	S	N
N	A	T	N	U	S	S	U	N	D	R	O	P	E	M
S	U	N	B	I	R	D	S	E	Y	V	S	E	S	A
B	Y	Q	A	E	S	N	B	U	S	U	R	A	U	E
D	P	I	R	Q	W	N	S	I	N	C	X	T	N	R
O	N	B	X	O	U	S	S	S	S	L	H	C	B	C
P	G	I	D	S	E	U	H	N	U	E	I	I	A	N
S	M	N	L	R	N	A	U	S	N	N	D	G	T	U
E	U	A	D	B	D	S	T	U	F	I	D	X	H	S
S	V	N	L	E	N	M	L	N	L	H	G	E	E	T
K	U	O	S	N	K	U	N	F	O	S	K	N	C	M
S	C	C	F	T	U	B	S	I	W	N	N	D	U	K
K	U	M	O	U	A	S	J	S	E	U	U	W	C	S
J	Y	R	O	F	P	R	Q	H	R	S	S	J	M	H

SUNBATHE
SUNBED
SUNBIRD
SUNBLIND
SUNBLOCK
SUNBURST
SUNCREAM
SUNDECK
SUNDEW
SUNDOWN
SUNDRESS
SUNDROP
SUNFISH
SUNFLOWER
SUNG
SUNK
SUNLAMP
SUNLIGHT
SUNNY
SUNSCREEN
SUNSHADE
SUNSHINE
SUNSTAR
SUNSTROKE
SUNTAN

Word Search 64

W	B	S	K	H	C	L	A	H	D	M	E	O	G	A
N	Q	J	E	S	E	B	W	I	A	E	K	I	N	F
T	K	I	L	N	J	D	V	R	R	R	R	A	P	F
R	D	N	I	Q	O	O	O	F	E	L	P	Z	C	L
E	E	G	G	F	R	J	E	N	F	H	J	E	R	U
P	L	L	A	C	A	R	T	R	I	F	T	E	R	E
E	C	E	E	T	A	T	I	S	M	S	H	O	V	N
E	N	W	S	C	R	E	H	R	U	T	T	E	M	T
K	U	R	Y	I	N	E	O	E	O	G	L	I	L	N
E	A	I	Y	D	Y	L	B	R	R	Y	N	D	C	C
S	L	T	Z	C	E	Y	B	G	N	I	T	A	E	X
U	A	E	C	H	A	R	L	I	E	S	H	E	E	N
O	N	R	C	E	Y	J	O	N	C	R	Y	E	R	M
H	L	A	W	A	R	D	X	T	E	C	I	V	D	A
Z	B	R	O	T	C	A	R	P	O	R	I	H	C	Y

ADVICE
AFFLUENT
ALAN
ANGUS T JONES
AWARD
BACHELOR
BERTA
BROTHER
CAREFREE
CHARLIE SHEEN
CHIROPRACTOR
DIVORCE
EATING
EVELYN
FATHER
GIRLFRIEND
HARPER
HEDONISTIC
HOUSEKEEPER
JINGLE WRITER
JON CRYER
MOTHER
UNCLE

Word Search 65

AUSTRALIAN ANIMALS

T	A	B	C	D	U	P	J	G	O	A	N	N	A	E
A	R	A	O	V	M	Q	L	C	A	B	F	Z	A	L
S	R	N	C	E	E	C	C	A	L	L	J	C	U	I
S	U	D	K	B	K	B	A	U	T	B	A	W	R	D
I	B	I	A	H	R	A	E	S	V	Y	W	H	R	O
E	A	C	T	N	T	T	N	W	S	A	P	I	P	C
T	K	O	O	X	O	O	S	S	L	O	B	U	Y	O
I	O	O	O	N	O	T	R	L	N	E	W	X	S	R
G	O	T	G	R	I	O	A	R	R	W	N	A	C	C
E	K	U	O	N	G	R	A	Y	A	B	O	N	R	T
R	E	T	G	N	O	J	L	V	P	P	M	R	U	Y
X	O	R	I	O	S	R	G	N	O	T	T	E	B	F
P	A	D	B	F	C	P	E	N	G	U	I	N	X	N
Y	K	A	N	G	A	R	O	O	G	N	O	G	U	D
C	Q	U	R	E	T	A	E	Y	E	N	O	H	H	F

BANDICOOT
BETTONG
BLUE TONGUE
BROWN SNAKE
CASSOWARY
COCKATOO
CROCODILE
DINGO
DUGONG
EMU
FUNNEL WEB
GALAH
GOANNA
HONEYEATER
KANGAROO
KOOKABURRA
LYREBIRD
PARROT
PENGUIN
PLATYPUS
POTOROO
STINGRAY
TASSIE TIGER
WALLAROO

NAMES STARTING WITH T

Word Search 66

S	A	I	B	O	T	T	T	H	E	O	D	O	R	E
T	R	E	V	O	R	A	E	E	T	E	R	R	Y	E
F	O	Y	T	Y	Y	M	Z	M	D	T	Y	T	Z	V
F	J	O	D	L	M	I	B	E	R	D	O	B	T	F
T	N	U	O	T	O	K	A	E	I	D	Y	A	O	A
Y	R	R	Q	O	Y	A	L	Y	D	S	M	E	H	T
T	I	F	F	A	N	Y	H	U	N	A	S	T	S	O
T	I	G	A	C	T	Y	R	K	R	A	I	E	N	T
E	I	T	I	M	X	L	O	A	Y	B	T	Y	T	A
A	T	L	U	T	L	Y	A	C	A	T	A	H	S	R
Q	I	J	L	S	E	E	A	T	M	N	M	T	A	Q
Z	P	C	J	Y	Y	R	H	W	G	E	S	O	M	U
L	P	A	E	H	T	D	E	T	R	R	I	M	O	I
U	I	Y	S	N	A	T	T	S	N	T	N	I	H	N
Z	X	N	A	T	S	I	R	T	A	L	W	T	T	J

TABITHA
TAMARA
TAMIKA
TAMSIN
TANSY
TANYA
TARQUIN
TAYLOR
TEDDY
TERESA
TERRY
TESSIE
THEA
THELMA
THEODORE
THOMAS
TIFFANY
TILLY
TIMOTHY
TIPPI
TITUS
TOBIAS
TOBY
TODD
TONY
TRACY
TRENT
TREVOR
TRISTAN
TRUDY
TYLER

Word Search 67 JIMI HENDRIX

T	F	S	Y	S	P	Y	G	F	O	D	N	A	B	K
S	C	O	N	C	J	A	M	E	S	Z	E	A	N	T
I	M	R	E	I	F	I	L	P	M	A	T	U	G	A
R	B	T	B	L	N	S	T	O	N	E	F	R	E	E
A	O	S	T	E	P	P	I	N	G	S	T	O	N	E
T	L	L	L	D	I	V	S	N	R	B	E	I	S	I
I	D	I	H	E	K	F	L	N	G	M	L	O	W	G
U	A	V	G	H	D	C	E	S	A	L	N	U	N	S
G	S	E	E	C	Y	C	O	F	T	G	E	I	E	Z
J	L	N	J	Y	Q	O	F	T	W	C	Y	S	F	S
X	O	A	I	S	K	O	W	R	S	A	E	T	Q	S
K	V	H	L	P	L	B	I	K	L	D	Z	F	O	C
P	E	A	N	L	O	T	G	P	B	N	O	L	F	F
Y	W	A	A	N	E	R	H	S	A	H	O	O	O	E
O	R	H	G	R	Y	N	T	K	L	S	Z	F	W	L

AMPLIFIER
BAND OF GYPSYS
BLUES
BOLD AS LOVE
EFFECTS
FUNK
GUITARIST
HALL OF FAME
ISLE OF WIGHT
JAMES
JOHNNY
LIVE
PLAYING
PSYCHEDELIC
SINGLES
SOLOS
SONGWRITER
STEPPING STONE
STONE FREE
WOODSTOCK

Word Search 68

O	M	K	Z	P	E	Q	F	E	V	A	W	W	E	N
W	H	E	G	S	L	A	T	E	M	H	T	A	E	D
L	T	Y	N	Y	H	D	A	C	O	F	P	U	N	K
M	Y	B	I	C	G	E	D	G	G	C	L	O	R	O
S	H	O	G	H	M	Q	A	O	R	A	S	E	P	D
Y	R	A	N	E	U	A	S	V	T	U	T	I	L	O
R	H	R	A	D	B	P	E	E	Y	T	N	E	D	O
T	I	D	B	E	E	U	M	R	I	M	G	G	G	W
N	P	E	D	L	C	U	B	L	T	G	E	E	E	O
U	H	J	A	I	N	N	G	B	G	S	N	T	N	P
O	O	E	E	C	N	R	A	A	L	R	N	H	A	E
C	P	E	H	X	T	W	R	D	E	E	C	I	I	L
A	L	T	E	R	N	A	T	I	V	E	G	D	A	K
O	C	R	A	P	G	U	X	Z	T	D	N	U	L	M
Y	S	E	L	E	C	T	R	O	N	I	C	O	M	E

ALTERNATIVE
BUBBLEGUM
COUNTRY
DANCE
DEATH METAL
DISCO
DOO WOP
ELECTRONIC
EMO
GARAGE
GENRE
GLITTER
GOSPEL
GRUNGE
HEAD BANGING
HEAVY METAL
HIP HOP
INDIE
KEYBOARD
MAINSTREAM
NEW WAVE
NU METAL
POP
PSYCHEDELIC
PUNK
RAP
RHYTHM
TECHNO

Word Search 69 __________ MEXICAN MEA

N	C	J	S	Y	E	T	A	L	O	C	O	H	C	C
O	W	I	A	A	Q	N	S	O	E	A	N	E	T	O
M	T	S	L	L	D	A	C	B	C	A	H	S	O	R
A	A	I	F	A	T	A	A	H	C	O	A	E	R	N
N	C	K	R	I	N	R	T	H	I	L	C	E	T	C
N	O	K	D	R	B	T	O	S	I	L	C	H	I	H
I	S	R	R	A	U	S	R	U	O	R	A	C	L	I
C	O	C	C	B	U	B	Q	O	E	T	P	D	L	P
G	K	O	X	Q	U	E	S	A	D	I	L	L	A	S
T	A	V	A	B	T	X	M	V	X	Q	S	R	S	S
S	E	N	I	L	U	P	A	H	C	N	S	I	O	P
N	A	Y	Q	H	R	K	S	E	O	T	A	M	O	T
A	A	L	A	A	E	W	W	I	G	A	R	L	I	C
E	F	K	S	I	J	J	N	S	K	D	M	X	G	O
B	Y	V	D	A	C	O	R	N	S	A	L	A	D	V

BARBACOA
BEANS
BURRITO
CHAPULINES
CHEESE
CHOCOLATE
CILANTRO
CINNAMON
COCOA
CORN CHIPS
CORN SALAD
CREAM
ENCHILADAS
GARLIC
GORDITAS
NACHOS
ONIONS
QUESADILLAS
SALSA
TACOS
TEQUILA
TOMATOES
TORTILLAS
TOSTADAS

Word Search 70

P	E	V	C	V	T	Z	N	R	J	W	P	A	H	S
O	L	Z	U	E	B	U	E	E	O	J	I	P	T	T
R	O	O	B	Z	L	F	R	O	E	N	I	R	T	E
N	P	N	A	S	I	L	D	P	R	D	O	F	M	M
A	E	O	A	N	U	Y	U	O	E	B	L	O	S	P
M	G	N	O	E	S	O	F	L	U	N	N	E	W	E
E	D	C	E	T	B	I	U	S	O	T	T	O	S	R
N	O	X	E	L	L	B	Y	D	E	S	L	I	V	A
T	L	M	D	A	L	L	I	R	I	L	E	R	N	T
A	J	A	C	K	L	O	E	R	E	C	R	S	E	E
L	Z	X	N	O	U	Y	P	Y	A	J	E	V	C	A
P	A	S	L	L	A	W	L	L	E	C	S	D	U	E
S	U	B	T	R	O	P	I	C	A	L	I	Y	R	C
T	O	V	D	E	T	I	H	W	N	V	N	Y	P	I
L	X	P	S	O	U	T	H	E	R	N	D	O	S	P

CALIFORNIA
CARIBBEAN
CELL WALLS
CELLULOSE
CONIFER
DECIDUOUS
JACK
LOBLOLLY
LODGEPOLE
MONTEREY
NEEDLES
ORNAMENTAL
PICEA
POLLEN
RESIN
SAP
SOUTHERN
SPRUCE
STROBUS
SUBTROPICAL
TEMPERATE
TURPENTINE
WHITE
WOODY STEM
YELLOW

Word Search 71 MONSTERS

S	M	C	O	L	O	S	S	U	S	X	S	V	C	N
C	Y	H	S	F	D	D	B	F	B	U	J	A	Y	E
E	E	M	U	I	R	U	E	A	R	E	S	M	C	K
N	F	A	M	A	R	C	S	E	N	U	T	P	L	A
T	T	A	G	U	S	E	B	T	D	S	V	I	O	R
A	I	O	N	C	M	R	N	E	N	H	H	R	P	K
U	N	T	A	G	E	E	M	S	P	A	U	E	S	S
R	V	R	A	C	S	W	H	G	L	R	I	N	E	R
S	E	T	E	N	R	I	O	T	N	P	E	G	F	E
D	G	W	D	A	L	E	K	S	J	I	D	V	L	T
H	T	O	M	E	H	E	B	T	L	E	H	P	O	T
T	R	I	F	F	I	D	S	A	M	S	O	T	W	I
K	I	N	G	K	O	N	G	O	J	J	J	R	E	R
N	A	R	D	Y	H	Q	N	C	U	M	W	W	H	C
K	S	I	L	I	S	A	B	C	R	O	D	G	S	Y

ALIEN
BANSHEE
BASILISK
BEHEMOTH
CENTAURS
CERBERUS
COLOSSUS
CRITTERS
CUJO
CYCLOPS
DALEKS
DEMON
DRAGON
FANGS
GIANT
HARPIES
HYDRA
KING KONG
KRAKEN
MEDUSA
SCARED
SHE-WOLF
SIRENS
THE MUMMY
THING
TITAN
TRIFFIDS
VAMPIRE

B	T	M	E	S	T	V	Z	K	P	I	L	I	H	P
D	U	N	T	R	A	D	O	L	P	H	U	S	O	L
K	V	W	E	T	N	R	S	R	M	N	H	J	T	E
O	L	B	S	R	U	E	A	I	E	I	U	Y	S	O
M	L	U	S	H	U	L	S	A	U	K	W	R	U	P
A	G	F	T	M	F	A	R	T	J	O	H	N	G	O
I	L	R	F	R	I	I	L	S	E	L	L	E	U	L
L	A	E	E	R	C	H	U	A	I	A	T	H	A	D
L	E	D	X	H	E	I	C	L	G	S	A	E	N	P
I	O	E	A	A	V	D	N	A	N	I	D	R	E	F
W	W	R	Q	A	N	A	E	R	O	W	W	A	K	W
M	D	I	T	F	S	D	E	R	A	J	X	D	B	E
M	I	C	H	A	E	L	E	R	I	K	Y	W	U	I
T	O	K	O	T	T	O	D	R	D	K	T	I	D	L
S	E	L	R	A	H	C	H	R	I	S	T	I	A	N

ADOLPHUS
ALASTAIR
ALBERT
ALEXANDER
ALFRED
ARTHUR
AUGUST
CHARLES
CHRISTIAN
EDWARD
ERNEST
ERNST
FERDINAND
FREDERICK
FREDERIK
GUSTAV
HENRY
JOACHIM
JOHN
LAURENT
LEOPOLD
LOUIS
LUDWIG
MICHAEL
NIKOLAS
OCTAVIUS
OTTO
PHILIP
RICHARD
WILLIAM

Word Search 73 ____________ ALFA ROMEO

A	I	R	C	R	A	F	T	E	N	G	I	N	E	S
O	K	E	R	O	T	O	M	I	B	X	U	Q	X	E
A	Q	Y	S	E	K	A	S	H	I	B	V	D	N	H
E	U	W	R	Y	C	N	T	R	Y	E	E	I	Z	M
A	T	T	I	A	A	M	P	T	H	H	G	S	I	D
T	A	Y	O	M	C	D	O	I	E	N	L	L	M	A
T	R	A	E	M	N	S	C	N	E	F	L	V	D	U
E	G	L	N	A	O	L	T	M	T	E	L	R	U	P
I	A	V	R	E	E	B	A	R	M	R	F	A	S	H
L	F	G	I	S	A	C	I	I	O	G	E	P	A	I
L	L	S	T	T	N	T	G	L	Z	P	R	A	F	N
U	O	P	F	I	C	L	Q	L	E	C	S	M	L	E
I	R	A	W	P	I	P	L	F	D	B	R	M	A	D
G	I	T	X	A	E	N	O	A	L	U	M	R	O	F
W	O	Q	E	X	P	E	N	S	I	V	E	T	M	X

AIRCRAFT ENGINES
ALFASUD
ALFETTA
AUTOMOBILE
BIMOTORE
DAUPHINE
EXPENSIVE
FORMULA ONE
GIULLIETTA
GRAND PRIX
LE MANS
MILLE MIGLIA
MONTREAL
SPORTS CAR
TARGA FLORIO
TWIN CAM ENGINE
VEHICLES

P	T	H	M	K	O	C	A	V	E	L	I	O	N	K
E	B	B	E	E	C	I	A	E	S	D	R	O	J	F
F	F	D	R	I	E	R	M	A	S	T	O	D	O	N
S	G	N	I	W	A	R	D	E	V	A	C	F	M	E
L	O	E	S	P	N	X	A	F	R	K	G	A	M	A
A	G	N	M	K	C	N	Z	I	C	O	C	D	T	Q
C	I	E	I	Y	U	U	F	O	S	I	S	M	D	E
I	A	C	L	H	R	P	O	I	T	A	O	I	X	Y
G	N	O	O	P	R	L	J	C	V	S	R	T	O	L
O	T	T	D	E	E	Y	R	O	P	P	R	U	A	N
L	S	S	O	R	N	A	L	H	L	A	O	I	E	O
O	L	I	N	P	T	I	E	L	C	A	C	L	K	D
E	O	E	H	N	S	R	P	O	O	A	K	Y	A	Q
G	T	L	A	Y	E	F	L	L	L	O	J	E	D	R
O	H	P	O	B	H	D	F	G	A	P	W	B	S	E

ALPINE
ANTARCTICA
ATMOSPHERE
CAVE DRAWINGS
CAVE LION
COOLER
DRIER
EROSION
EURASIA
EXTRA COLD
FJORDS
GEOLOGICAL
GIANT SLOTH
GLACIAL
LAKES
MASTODON
OCEAN CURRENTS
PLEISTOCENE
POLAR
SEA ICE
SMILODON
WOOLLY RHINO

Word Search 75 __________ FLUTE

R	E	N	A	I	S	S	A	N	C	E	P	T	E	C
T	B	L	O	W	E	P	E	E	Y	I	T	L	S	T
B	A	S	S	S	K	M	B	P	C	A	O	A	I	E
X	J	Q	Z	E	E	U	B	C	I	H	F	A	L	L
O	O	F	Y	C	T	L	O	O	H	P	E	Z	V	O
A	T	S	O	Y	A	L	O	T	U	J	N	O	E	E
E	E	L	M	L	O	Q	U	H	Q	C	R	A	R	G
R	F	V	A	I	K	O	L	W	E	C	H	T	P	A
O	I	A	N	N	M	U	F	N	H	N	S	U	M	L
P	F	R	E	D	R	O	C	E	R	I	O	B	R	F
H	H	H	D	R	H	Z	S	H	T	O	S	T	M	E
O	O	O	O	I	T	T	Y	U	B	H	C	T	I	P
N	R	N	O	C	R	C	A	M	E	N	X	B	L	T
E	B	O	W	A	X	L	A	S	P	I	L	J	U	E
B	U	D	L	L	F	B	W	O	O	D	W	I	N	D

AEROPHONE
ALTO
BAMBOO
BASS
BLOW
CYLINDRICAL
EMBOUCHURE
FIFE
FLAGEOLET
FLAUTIST
FOLK
KEYS
LIPS
MOUTH HOLE
ORCHESTRAL
PANPIPES
PICCOLO
PITCH
RECORDER
RENAISSANCE
SILVER
TONE HOLES
TUBE
WHISTLE
WOODEN
WOODWIND

G	R	E	F	C	C	H	R	I	S	T	I	N	A	D
O	O	E	L	L	N	M	G	R	O	O	V	E	N	O
N	C	S	M	Y	A	Y	Y	Z	E	Q	N	A	F	W
E	K	L	U	L	T	I	S	L	D	A	B	G	C	F
M	Y	E	B	G	D	S	R	N	O	Y	O	N	S	S
B	O	N	L	I	K	E	I	L	O	V	E	Y	O	U
E	U	I	A	Q	U	L	E	B	R	V	E	G	E	K
A	R	H	R	E	V	I	R	A	E	M	Y	R	C	C
T	B	T	G	J	E	I	N	R	S	H	E	A	N	A
B	O	O	E	D	T	D	A	I	R	C	I	C	E	B
O	D	N	A	N	A	G	H	X	N	T	W	T	K	Y
X	Y	E	E	L	A	P	L	A	C	O	V	O	S	X
I	L	Y	L	I	M	J	D	O	C	U	X	R	Z	E
N	D	L	N	E	H	C	R	A	E	S	R	A	T	S
G	Y	S	M	B	G	I	R	L	F	R	I	E	N	D

ACTOR
ALBUM
BEATBOXING
BOY BAND
BRITNEY
CHRISTINA
CRY ME A RIVER
DANCER
FLAIR
GIRLFRIEND
GONE
GROOVE
HITS
JANET
LEAD
LIKE I LOVE YOU
MEMPHIS
MY LOVE
NEVER AGAIN
NOTHIN ELSE
NSYNC
RANDALL
ROCK YOUR BODY
SEXYBACK
SONGS
STAR SEARCH
STYLE
VOCAL

Word Search 77 MAZES

E	S	U	O	H	H	T	R	O	W	S	T	A	H	C
D	I	S	N	E	Y	L	A	N	D	P	A	R	I	S
C	O	N	F	U	S	I	N	G	R	F	B	L	T	T
N	X	E	F	W	O	W	G	O	K	R	H	R	G	N
O	N	F	L	A	Y	C	U	A	I	Z	A	I	E	I
W	A	M	E	L	N	N	T	D	R	P	M	D	M	O
Y	I	E	N	K	D	E	G	A	E	D	R	O	E	P
I	L	U	G	I	E	E	E	Z	G	A	E	X	F	G
N	A	R	L	N	S	R	O	R	G	O	O	N	E	N
F	T	O	A	G	N	I	U	T	G	B	N	L	S	I
W	I	P	N	P	D	B	O	T	F	R	Z	A	U	W
G	A	E	D	A	K	N	J	R	A	Z	E	B	L	E
X	C	L	L	T	K	K	A	P	U	E	B	V	F	I
R	Q	I	L	H	H	W	G	P	Y	V	F	K	E	V
S	E	A	T	S	D	H	T	N	I	R	Y	B	A	L

BRIDGES
CHATSWORTH HOUSE
CONFUSING
DISNEYLAND PARIS
DWARF BOX
ENGLAND
EUROPE
EVERGREEN
FEATURE
GARDENS
ITALIAN
KNOT GARDEN
LABYRINTH
OCTAGONAL
PUZZLE
ROUND
SEATS
TRAPEZOIDAL
VIEWING POINTS
WALKING PATH
WALLS

Word Search 78

G	F	S	B	S	T	P	H	I	L	I	B	E	R	T
N	O	B	E	L	E	P	P	I	L	I	H	P	F	A
A	E	T	L	L	A	B	T	O	O	F	M	E	C	C
M	R	T	H	V	L	C	G	W	G	A	N	O	V	E
U	E	O	E	I	X	A	K	E	F	I	Q	O	C	M
S	G	G	R	N	C	M	H	C	W	A	S	N	R	U
E	U	R	S	E	E	W	P	S	U	N	A	Z	G	S
M	O	A	N	Y	D	U	S	V	E	R	T	F	F	T
A	G	C	C	A	E	R	I	R	F	L	R	L	A	A
G	A	S	T	R	O	N	O	M	I	C	F	A	I	R
N	G	E	L	D	Y	M	I	K	O	B	I	A	N	D
I	A	Z	E	S	A	P	I	E	G	B	D	R	W	T
N	E	T	I	N	A	R	T	H	S	U	O	S	E	O
G	O	G	E	E	C	A	L	A	P	L	A	C	U	D
C	R	E	N	A	I	S	S	A	N	C	E	Z	M	X

BLACKCURRANT
COQ AU VIN
COTE D'OR
CRYPT
DUCAL PALACE
ESCARGOT
FOOTBALL
FRANCE
GASTRONOMIC FAIR
GOTHIC
GOUGERE
KIR
LES HALLES
MUSE MAGNIN
MUSTARD
PHILIPPE LE BON
RENAISSANCE
SEINE
ST PHILIBERT
VINEYARDS
VOSNE ROMANEE
WINE

Word Search 79 __________ TOM HANKS

N	O	I	T	I	D	R	E	P	O	T	D	A	O	R
A	E	J	W	H	H	Y	C	A	E	G	R	D	P	G
V	V	L	P	G	E	I	R	N	W	E	Q	U	C	U
Y	A	A	L	M	O	P	G	O	C	A	N	B	A	X
O	N	N	T	J	U	A	A	U	T	C	R	I	K	C
U	A	I	F	H	R	G	D	C	H	S	H	D	I	L
V	L	M	H	D	O	O	T	L	I	P	Y	T	S	Y
E	M	R	S	Q	R	M	I	S	L	F	Y	O	X	Z
G	I	E	A	P	W	N	A	E	E	O	I	K	T	J
O	G	T	L	Z	E	D	D	S	F	R	R	C	T	A
T	H	E	P	O	L	A	R	E	X	P	R	E	S	S
M	T	H	S	M	L	Z	M	W	Q	M	W	O	B	U
A	Y	T	X	I	U	B	I	G	L	O	V	E	F	M
I	W	F	H	Q	E	Y	A	W	A	T	S	A	C	D
L	P	P	E	R	F	A	M	I	L	Y	T	I	E	S

AWARDS
BIG LOVE
CAST AWAY
CITY OF EMBER
DRAGNET
EVAN ALMIGHTY
FAMILY TIES
FORREST GUMP
PHILADELPHIA
PRODUCER
PUNCHLINE
ROAD TO PERDITION
SPLASH
THE PACIFIC
THE POLAR EXPRESS
THE TERMINAL
THOMAS
TOY STORY
YOU'VE GOT MAIL

M IS FOR ____________ Word Search **80**

Y	M	I	R	A	G	E	M	K	W	D	Y	T	J	M
P	A	M	K	S	Z	A	G	A	L	O	S	A	A	Y
I	G	D	U	S	R	K	R	U	I	U	L	G	M	L
M	O	M	N	R	U	I	O	X	M	D	I	L	A	S
I	M	C	Y	O	D	M	X	E	V	C	E	R	E	E
L	I	N	I	S	M	A	N	U	A	L	U	N	C	M
L	L	E	M	T	T	D	Y	P	O	M	A	N	I	M
I	K	T	P	A	S	E	M	U	F	F	I	N	E	R
O	O	T	E	T	U	Y	R	I	O	M	T	N	L	E
N	O	I	S	C	Y	V	M	Y	R	G	U	X	C	T
C	M	M	U	C	M	Z	E	H	C	R	A	M	S	S
I	O	E	O	M	O	S	A	I	C	H	O	H	U	N
S	N	R	M	U	R	M	Y	C	R	E	M	R	M	O
U	E	R	T	V	M	U	E	S	U	M	W	P	A	M
M	Y	Y	L	A	R	E	N	I	M	N	O	L	E	M

MAGIC
MAIDEN
MANUAL
MARCH
MARRY
MAUVE
MAY
MELLOW
MELON
MEND
MENU
MERCY
MERRY
MILK
MILLION
MINCE
MINERAL
MINT
MIRAGE
MIRROR
MITTEN
MONDAY
MONEY
MONSTER
MOSAIC
MOULD
MOUSE
MUFFIN
MURAL
MUSCLE
MUSEUM
MUSIC
MUSK
MUST
MYSTERY
MYSTIC

Word Search 81 ____________ MEDIA PLAYER

O	D	O	W	N	L	O	A	D	Y	K	K	Z	T	D
R	N	R	R	R	R	L	V	U	Z	K	G	S	A	W
G	B	T	I	D	E	I	I	T	D	E	C	T	I	E
A	P	L	A	Y	S	Y	P	G	S	I	A	A	D	D
N	T	S	U	A	G	Q	A	P	H	A	O	O	R	G
I	S	A	I	M	U	A	Y	L	I	T	C	U	I	T
S	A	D	U	A	L	C	P	G	P	N	P	D	I	W
E	E	S	L	S	P	O	Q	W	E	G	G	D	O	W
M	I	I	G	G	R	M	B	M	R	F	U	L	I	P
C	T	N	A	P	A	P	Q	A	Y	O	S	E	E	Y
Y	O	F	S	K	E	R	D	Q	R	R	B	H	N	R
S	L	L	A	M	S	E	T	I	S	M	P	D	I	O
S	O	U	N	D	W	S	P	S	B	A	O	N	L	M
D	A	O	L	P	U	S	P	K	J	T	R	A	N	E
E	G	E	N	O	H	P	D	A	E	H	T	H	O	M

AUDIO
COMPRESS
DATA
DISK
DOWNLOAD
EARPLUGS
ENCODE
FORMAT
HANDHELD
HEADPHONE
LIGHT
MEDIA
MEMORY
MUSIC
ONLINE
ORGANISE
PLAYER
PLAYS
PODCAST
QUALITY
RIPPING
SITES
SMALL
SONGS
SOUND
TRACK
UPGRADE
UPLOAD
USB PORT

F	J	L	R	O	N	X	C	E	I	B	A	R	R	G
R	U	A	T	E	R	R	L	D	A	W	I	E	E	A
L	A	T	R	Y	D	B	D	T	Y	G	B	T	D	L
F	A	B	C	J	B	A	T	D	G	F	A	L	A	A
W	I	K	K	I	A	L	V	A	I	B	S	A	E	C
E	L	N	B	C	E	R	T	H	N	Y	T	R	L	T
Y	N	O	I	S	A	L	B	A	T	P	I	K	D	I
Y	I	Z	H	S	A	L	B	I	P	R	L	C	L	C
S	V	I	F	R	V	O	A	V	N	H	A	A	O	S
I	P	O	E	T	O	A	U	R	M	K	W	D	G	E
L	A	N	D	O	C	A	L	R	I	S	S	I	A	N
B	E	R	U	L	A	R	S	O	K	M	R	H	V	A
G	D	R	O	L	K	R	A	D	R	E	D	T	D	T
E	C	O	U	N	T	D	O	O	K	U	R	A	U	E
F	Y	D	O	C	R	E	D	N	A	M	M	O	C	I

ADMIRAL ACKBAR
BASTILA
BATTLESHIP
BERU LARS
COMMANDER CODY
COUNT DOOKU
DACK RALTER
DARK LORD
DARTH VADER
FINIS VALORUM
GALACTIC SENATE
GENERAL TAGGI
GOLD LEADER
JAR JAR BINKS
LANDO CALRISSIAN
NABOO
SIO BIBBLE
WATTO

Word Search 83 — PETROL STOP

G	T	Y	R	E	P	R	E	S	S	U	R	E	U	S
G	T	I	C	A	L	D	L	F	K	E	H	N	Q	E
E	N	I	K	T	M	I	M	Q	H	C	L	X	P	I
C	R	P	O	T	S	S	B	C	F	O	A	M	M	L
P	A	M	X	E	A	C	U	O	C	I	U	N	A	P
P	P	R	V	N	I	O	U	K	M	P	L	H	S	P
E	A	B	W	D	V	U	M	N	O	Z	Z	L	E	U
R	P	Y	Z	A	O	N	U	U	L	I	F	E	U	S
O	E	K	S	N	S	T	P	P	I	I	G	C	G	P
T	R	A	E	T	Q	H	G	I	R	M	X	I	J	P
S	S	C	I	N	A	H	C	E	M	E	E	V	S	R
S	K	N	I	R	D	T	W	S	T	E	M	R	S	E
E	V	I	R	D	E	O	I	L	H	I	J	E	P	P
S	U	P	E	R	O	F	A	O	L	O	Q	S	C	A
B	R	E	A	D	N	C	W	K	N	V	P	E	E	Y

ATTENDANT
BREAD
CALTEX
CARWASH
DISCOUNT
DRINKS
DRIVE
FILL UP
FIREWOOD
LPG
MECHANIC
MILK
MOBIL
NOZZLE
PAPERS
PAY STATION
PREMIUM
PREPAY
PRICE
PUMP
SERVICE
SHOP
SNACKS
STOP
STORE
SUPER
SUPPLIES
TYRE PRESSURE
UNLOCK
VOUCHER

Word Search 84

Q	I	V	W	U	L	O	E	C	N	E	I	C	S	S
A	E	N	K	F	F	A	H	O	G	P	K	F	W	L
D	C	R	T	K	A	I	C	D	V	T	O	E	M	N
V	I	O	S	E	L	M	E	I	H	C	N	P	V	T
E	L	Z	M	D	R	L	I	R	D	G	C	A	R	S
N	O	Y	R	E	W	V	I	L	L	E	P	R	W	N
T	P	E	S	O	D	L	I	A	Y	M	M	E	T	R
U	N	B	N	A	L	Y	I	E	Y	E	F	A	L	E
R	W	K	S	E	T	R	R	S	W	A	D	L	J	T
E	C	U	R	R	E	N	T	A	F	F	A	I	R	S
S	G	M	W	S	O	E	A	M	T	K	Q	T	S	E
P	L	A	W	I	R	Z	A	F	C	I	Z	Y	P	W
I	N	X	T	Y	C	I	S	U	M	X	L	C	O	E
E	M	C	S	S	H	O	P	P	I	N	G	I	C	H
S	A	K	K	L	A	C	I	T	I	L	O	P	M	Z

ACTION
ADVENTURE
CARS
CHILDREN
COMEDY
COPS
CURRENT AFFAIRS
FAMILY
FANTASY
INTERVIEW
KNOWLEDGE
LAW
MEDICAL
MILITARY
MUSIC
MYSTERY
NEWS
POLICE
POLITICAL
POP
REALITY
SCIENCE
SERIAL
SHOPPING
SPIES
THRILLER
WESTERNS

Word Search 85 ______ PRESERVE FOOD

A	N	O	I	T	A	R	E	G	I	R	F	E	R	P
N	V	J	C	O	N	S	E	R	V	I	N	G	E	L
T	A	G	N	I	L	L	I	H	C	D	G	T	D	I
I	C	H	N	N	R	C	O	C	T	N	Y	I	Y	O
M	U	I	O	O	K	R	O	H	I	A	A	N	H	E
I	U	X	N	J	I	O	A	Z	O	D	E	S	E	V
C	M	O	E	W	K	T	E	D	D	C	R	H	D	I
R	P	K	K	I	P	E	A	I	I	A	L	N	L	L
O	A	M	N	S	R	O	T	T	G	A	I	A	A	O
B	C	G	W	F	E	I	T	E	N	T	T	E	M	T
I	K	A	Q	L	V	A	N	T	R	E	Q	I	R	I
A	S	X	K	E	K	I	L	A	E	N	M	T	O	B
L	F	C	S	K	V	O	T	E	G	D	I	R	F	N
A	I	P	R	E	S	E	R	V	A	T	I	V	E	S
P	R	A	G	U	S	B	O	T	T	L	I	N	G	F

ADDITIVES
ALCOHOL
ANTIMICROBIAL
BOTTLING
CHILLING
CONSERVING
COOKING
FERMENTATION
FORMALDEHYDE
FREEZING
HEAT
IRRADIATION
NITRATES
OLIVE OIL
PICKLE
POTTED
PRESERVATIVES
REFRIGERATION
SEAL
SUGAR
TINS
VACUUM PACKS
VINEGAR

U	H	U	J	Y	A	S	H	M	A	K	O	Y	O	R
R	A	W	L	A	H	S	O	I	F	N	Y	H	A	A
X	V	Y	B	X	D	E	F	M	O	E	C	A	P	M
A	O	F	L	Z	A	O	Y	M	B	N	I	F	S	G
N	T	L	U	U	K	P	I	I	O	R	E	D	A	U
A	E	A	J	K	J	K	A	P	F	D	E	Y	R	A
B	K	T	Q	W	F	T	A	Y	O	F	S	R	A	Y
A	G	C	T	I	I	L	S	R	E	E	E	L	O	A
C	N	A	T	H	Y	A	A	W	E	B	A	K	H	B
A	O	P	C	G	M	Y	N	X	B	L	A	S	G	E
H	S	K	E	P	P	U	A	E	S	H	L	L	T	R
C	A	N	O	I	R	A	S	H	W	K	T	O	A	A
T	G	T	A	H	E	K	O	O	S	A	I	W	P	G
P	A	N	A	M	A	H	A	T	J	V	H	R	U	Z
Z	P	I	O	P	K	E	N	T	E	C	L	O	T	H

APSARA
ASO OKE HAT
BESKAP
CHACABANA
FEDORA
FLAT CAP
FLAX SKIRT
GALABEYA
GHO
GUAYABERA
KEFFIYEH
KENTE CLOTH
KIMONO
KOFIA
PANAMA HAT
POLLERA
PONCHO
SAMPOT
SARI
SHALWAR
SOMBRERO
SONGKET
TAKCHITA
TAQIYYAH
YASHMAK

Word Search 87 ______ CLASSICAL MUSIC

C	O	R	I	O	L	A	N	U	S	T	E	Z	I	B	C
A	P	O	D	N	A	R	E	L	E	C	C	A	L	E	U
E	Y	N	O	M	R	A	H	C	Y	M	B	A	L	S	C
A	C	C	O	M	P	A	N	I	S	T	I	L	E	N	L
P	F	F	L	L	I	I	K	M	B	D	I	V	R	D	A
K	V	G	S	A	P	S	U	O	N	S	O	I	O	R	R
I	M	P	R	O	V	I	S	A	T	I	O	N	C	O	I
A	D	C	H	A	N	I	L	I	H	R	C	E	A	H	N
A	T	C	L	O	N	N	C	A	T	O	A	E	P	C	E
C	G	A	H	E	I	D	R	H	N	R	S	B	R	I	T
O	O	P	T	F	M	M	P	D	O	O	O	O	I	S	T
R	U	R	F	N	O	E	U	I	P	R	J	F	C	P	I
E	N	J	N	N	A	C	N	M	A	N	D	P	C	R	S
L	O	G	I	E	T	C	O	T	A	N	W	V	I	A	T
O	D	U	B	O	T	C	F	B	I	E	O	N	O	H	K
B	M	O	R	E	T	S	A	M	R	I	O	H	C	B	S

ACCELERANDO
ACCOMPANIST
BANJO
BARTOK
BIZET
BOLERO
CANTATA
CAPRICCIO
CELLIST
CHOIRMASTER
CHOPIN
CLARINETTIST
CLAVICHORD
CLEMENTI
COMPOSE
CONDUCTOR
CORELLI
CORIOLANUS
CORNET
CYMBALS
EUPHONIUM
FINLANDIA
FORTISSIMO
GOUNOD
GRAND PIANO
HARMONIUM
HARMONY
HARPSICHORD
IMPROVISATION

Word Search 88

E	Y	J	T	C	A	P	I	T	A	L	G	M	G	U
C	B	A	E	H	N	G	Z	A	E	N	A	N	H	E
A	A	E	M	J	C	O	U	D	I	M	A	Z	R	N
L	I	Q	E	Y	N	R	H	W	E	U	P	A	B	R
A	Y	K	H	L	B	O	S	K	L	W	U	L	I	X
P	O	H	T	A	P	T	R	M	A	Q	L	C	E	T
K	K	L	N	I	N	P	A	T	S	N	W	A	E	S
E	E	O	S	A	D	N	S	M	H	I	A	U	K	T
M	T	N	I	Z	A	U	A	R	B	P	R	R	D	S
N	O	G	D	S	T	I	S	P	R	R	O	U	H	A
A	W	S	K	H	S	R	C	I	O	W	V	I	O	P
M	E	W	A	T	A	R	U	N	T	N	H	X	N	T
I	R	T	E	W	L	I	R	U	B	N	O	H	T	T
V	E	N	I	C	E	O	F	T	H	E	E	A	S	T
D	R	A	O	B	A	E	S	N	R	E	T	S	A	E

BAIYOKE TOWER
CAPITAL
DUSIT
EASTERN SEABOARD
GIANT SWING
KHLONGS
NORTHPOINT
PHRA NAKHON
SANAM LUANG
SIAM SQUARE
TEMPLES
THE MET
THON BURI
TOURISM
URBAN
VENICE OF THE EAST
VIMANMEK PALACE
WAT ARUN
WAT SUTHAT

Word Search 89 __________ AFTER PLAY

F	G	B	Q	H	G	S	M	U	R	D	J	O	A	D
O	G	I	U	O	T	R	O	Z	J	E	J	C	N	D
S	X	P	R	N	N	I	O	I	Y	T	H	U	O	H
D	E	H	K	L	T	D	W	U	E	B	O	W	O	F
N	E	M	A	G	E	H	T	H	N	R	N	P	H	O
A	E	T	C	A	L	S	G	A	A	D	F	A	I	R
H	D	R	H	U	O	L	K	I	B	R	V	A	F	T
E	I	O	Q	X	L	X	A	Q	R	O	A	B	F	I
H	S	O	V	L	H	L	R	B	G	W	U	E	O	M
T	N	M	U	Y	L	A	F	Z	N	M	S	T	Y	E
O	I	O	Z	V	T	Y	B	T	O	B	I	U	S	B
T	F	Y	O	I	L	W	E	M	L	O	G	S	I	G
N	Z	L	U	S	R	X	P	A	A	Y	E	O	M	T
I	I	G	H	O	U	S	E	T	R	H	N	R	A	H
N	O	U	T	S	I	D	E	E	C	G	R	O	U	P

ABOUT
ACT
ALONG
AROUND
BALL
BOY
BY EAR
CHESS
DOWN
DRUMS
FAIR
FOR TIME
FOUL
GIRL
GROUND
GROUP
GUITAR
HOUSE
INSIDE
INTO THE HANDS OF
MATE
OFF
OUTSIDE
PEN
ROOM
SUIT
THE GAME
WITH
WRIGHT

J	I	A	N	B	K	T	U	F	D	F	F	A	U	Q
S	O	T	I	C	X	T	A	M	F	R	S	P	I	Z
W	K	T	I	I	S	J	C	S	I	O	A	I	E	Z
A	E	L	B	W	S	Z	E	K	T	R	C	I	L	T
L	H	S	I	R	U	O	N	N	D	E	C	S	N	S
L	H	L	B	T	B	V	R	I	T	I	P	P	L	E
O	L	C	S	J	E	D	U	B	D	U	G	Q	E	G
W	R	A	N	B	R	L	O	B	N	D	M	E	C	N
Q	E	E	I	U	T	L	V	L	F	L	O	W	S	I
F	C	B	L	S	R	B	E	E	M	U	N	C	H	T
H	M	H	L	Z	H	C	D	G	C	H	O	M	P	N
I	Z	U	E	H	Z	Z	J	U	H	G	H	O	O	G
P	R	E	B	W	M	U	R	L	S	U	L	S	I	Q
P	T	E	G	R	O	G	G	P	I	L	H	W	Z	V
M	A	S	T	I	C	A	T	E	P	G	S	H	N	T

BITE
CHEW
CHOMP
CRUNCH
DEVOUR
DIGEST
DRAIN
FEAST
GLUG
GORGE
GULP
GUZZLE
IMBIBE
INGEST
LICK
MASTICATE
MUNCH
NIBBLE
NOSH
NOURISH
QUAFF
SCOFF
SIP
SLURP
SWALLOW
SWIG
SWILL
TASTE
TIPPLE
WOLF

Word Search 91 ____________ SUMMER

S	A	N	D	C	A	S	T	L	E	K	X	B	I	I
R	J	S	Y	D	V	A	S	W	I	M	S	U	I	T
Y	L	W	N	G	R	O	L	C	S	L	I	K	Y	S
S	T	A	N	A	V	A	K	L	L	C	N	D	U	V
E	W	T	U	K	C	B	U	E	E	I	G	N	T	S
B	O	E	S	X	O	K	H	G	R	R	C	Y	E	U
U	P	R	L	A	S	S	B	D	E	H	B	E	K	N
T	I	A	R	T	A	U	L	A	A	F	D	M	C	G
R	E	D	U	E	E	O	R	I	R	A	I	Y	U	L
E	C	W	S	Q	O	R	R	F	P	E	R	L	B	A
N	E	E	R	C	S	N	U	S	B	E	D	V	M	S
N	I	N	I	K	I	B	Q	Z	F	O	T	A	H	S
I	B	A	T	H	E	R	S	R	A	T	A	O	H	E
V	E	N	I	H	S	N	U	S	K	M	R	R	L	S
F	A	M	I	L	Y	S	I	Y	G	E	Y	B	D	Z

BATHERS
BIKINI
BUCKET
COOL DRINK
FAMILY
INNER TUBE
KICK BOARD
LIFEGUARD
SANDCASTLE
SEASHELL
SHADE
SHORE
SNACK BAR
SPADE
SUN CHAIR
SUNGLASSES
SUNNY
SUNSCREEN
SUNSHINE
SURFBOARD
SURFER
SWELTER
SWIMSUIT
TWO PIECE
UMBRELLA
WATER

T	G	O	E	R	G	N	I	L	A	E	T	S	G	W
L	R	B	A	N	K	R	O	B	B	E	R	A	M	O
A	M	A	E	T	A	R	E	D	E	F	N	O	C	U
W	M	M	I	I	F	S	H	O	T	G	U	N	D	N
L	W	J	D	N	D	I	R	T	L	C	S	C	M	D
E	W	S	I	A	R	U	X	E	W	T	G	A	R	S
S	T	A	G	E	C	O	A	C	H	E	S	H	E	G
S	E	L	W	L	A	D	B	G	D	S	Z	M	M	N
N	L	L	L	I	E	T	I	B	A	M	A	U	I	I
E	C	I	T	R	L	F	T	C	E	J	W	H	S	H
S	K	R	V	T	N	D	R	E	K	R	S	W	S	C
S	B	R	I	U	A	E	W	N	D	U	K	J	O	N
U	C	E	G	M	T	B	A	E	B	N	S	R	U	Y
P	H	U	P	U	E	R	H	M	S	T	E	B	R	L
G	M	G	M	R	F	H	A	K	V	T	F	V	I	A

AMBUSH
BANK ROBBER
BATTLES
CONFEDERATE
CRIME
FRANK JAMES
GANG LEADER
GUERRILLA
GUNFIGHTS
LAWLESSNESS
LYNCHING
MASSACRE
MISSOURI
RAIDS
SHOTGUN
STAGECOACHES
STEALING
TRAIN ROBBER
VENDETTA
WILD WEST
WOUNDS

Word Search 93 ORCHIDS

N	N	K	S	C	P	P	O	G	A	L	U	C	A	R	D
L	I	Y	W	T	N	D	R	L	A	B	E	L	L	U	M
A	O	Q	S	J	A	E	X	F	L	O	W	E	R	S	Q
E	O	P	Q	E	E	N	Q	A	I	R	A	M	E	A	H
L	T	D	S	N	H	G	H	B	F	S	M	J	P	L	K
I	Y	Y	H	E	B	T	R	O	U	C	O	V	T	A	A
A	A	O	H	E	U	A	N	L	P	C	G	M	E	I	D
E	O	I	V	P	S	D	I	A	A	E	U	Y	R	R	E
D	U	Y	L	S	O	H	O	L	Y	I	A	A	O	T	N
I	Y	L	I	C	C	H	A	B	D	R	N	R	S	S	D
R	R	A	O	O	Y	D	T	I	U	E	O	C	T	E	R
B	Q	C	C	P	E	C	B	I	B	L	H	C	Y	R	O
Y	D	R	D	N	H	M	N	A	L	V	B	J	L	R	B
H	A	M	I	O	Y	I	H	E	A	R	H	Q	I	E	I
S	T	A	J	C	E	G	A	N	I	A	R	D	S	T	U
G	H	X	P	H	A	L	A	E	N	O	P	S	I	S	M

BRASSIA
CALADENIA
CORYANTHES
CYMBIDIUM
DENDROBIUM
DRACULA
DRAINAGE
ENCYCLIA
EULOPHIA
FLOWERS
GREENHOOD
HABENARIA
HAEMARIA
HYBRID
LABELLUM
LAELIA
LITHOPHYTE
PHALAENOPSIS
PSEUDOBULB
PTEROSTYLIS
SARCOCHILUS
STANHOPEA
TERRESTRIAL

B	M	Y	B	J	R	S	A	O	P	A	U	L	O	M
E	I	T	R	I	E	A	R	A	R	L	M	Y	P	A
S	N	J	A	M	V	V	N	I	I	T	A	Q	E	C
E	A	M	S	D	I	P	A	R	O	H	A	I	Z	A
U	S	A	I	W	R	H	R	D	D	N	A	P	N	W
G	G	N	L	X	O	E	E	A	E	X	E	B	I	S
U	E	A	I	T	C	M	V	R	J	S	S	G	L	R
T	R	U	A	I	O	O	O	X	A	L	A	L	R	E
R	A	S	F	C	N	R	P	M	N	U	I	M	K	O
O	I	E	R	A	I	D	A	B	E	H	G	T	B	Q
P	S	A	S	C	R	Z	F	E	I	J	O	A	D	A
F	C	S	A	S	O	W	G	B	R	S	I	I	J	P
Y	O	M	W	N	X	D	T	R	O	P	I	C	A	L
B	U	S	A	N	T	A	C	A	T	A	L	I	N	A
P	A	C	I	R	E	M	A	H	T	U	O	S	S	F

AMAZON
BAHIA
BOSSA NOVA
BRASILIA
DEMOCRACY
FEIJOADA
HILL
JAGUAR
MACAW
MANAUS
MINAS GERAIS
ORINOCO RIVER
PLAINS
PORTUGUESE
PUMA
RAPIDS
RECIFE
RIO DE JANEIRO
RIO NEGRO
SAMBA
SANTA CATALINA
SAO PAULO
SOUTH AMERICA
TAPIR
TROPICAL

Word Search 95 ROCK AND POP

E	U	E	D	S	P	A	S	M	E	K	L	D	S	T
R	L	X	V	O	Y	L	Q	V	C	E	W	K	O	H
O	T	E	X	A	I	O	A	A	D	Z	N	E	B	E
M	R	R	A	P	N	L	B	Z	K	Y	D	S	O	B
O	A	S	K	G	S	E	E	E	A	O	L	T	L	E
N	V	N	M	O	L	P	S	H	I	O	S	K	S	A
H	O	F	I	K	P	E	M	C	S	T	A	X	O	T
T	X	D	C	E	I	P	S	K	E	A	S	S	L	L
I	U	I	L	X	O	W	R	I	R	N	L	A	I	E
A	N	I	I	Z	C	T	W	V	C	A	C	C	E	S
F	N	P	S	Y	O	B	P	O	H	S	T	E	P	B
P	S	Y	C	H	E	D	E	L	I	C	F	U	R	S
S	L	I	A	N	H	C	N	I	E	N	I	N	M	I
S	T	E	E	L	Y	D	A	N	F	N	Q	L	Y	M
W	S	R	O	L	L	I	N	G	S	T	O	N	E	S

AUDIOSLAVE
BEASTIE BOYS
CLASH
EAGLES
EVANESCENCE
FAITH NO MORE
KAISER CHIEFS
LED ZEPPELIN
LOS LOBOS
NICKLEBACK
NINE INCH NAILS
OASIS
PET SHOP BOYS
PIXIES
PSYCHEDELIC FURS
ROLLING STONES
SLIPKNOT
STEELY DAN
THE BEATLES
ULTRAVOX

S	U	R	U	C	I	D	E	O	D	T	D	E	H	G	E
T	C	N	I	T	X	E	E	D	N	I	E	L	I	G	M
R	O	S	H	A	G	G	Y	O	I	O	I	A	U	G	E
H	O	R	N	S	N	T	D	A	N	N	N	H	A	O	G
T	T	X	E	A	M	O	N	I	R	T	O	W	O	Z	A
O	N	O	R	G	T	E	H	E	B	L	T	S	M	N	T
M	Z	T	L	O	I	R	G	E	D	T	H	U	A	M	H
M	S	E	R	S	Y	A	A	A	E	O	E	R	B	U	E
A	T	P	V	L	T	V	N	R	F	H	R	L	A	D	R
M	I	U	L	I	E	N	A	T	E	A	I	A	D	W	I
D	F	O	S	R	S	T	A	A	C	M	U	W	R	V	U
S	O	Y	H	K	O	S	V	I	J	A	M	N	A	D	M
W	S	F	S	R	S	Y	A	R	G	L	T	G	A	A	T
H	S	G	N	Z	S	C	I	M	I	T	A	R	C	A	T
H	I	E	O	R	L	T	N	E	D	O	L	E	T	N	E
A	L	O	N	G	H	O	R	N	B	U	F	F	A	L	O

DEINOTHERIUM
DINOSAUR
DIPROTODONT
DOEDICURUS
ENTELODENT
EXTINCT
FOSSIL
GIANT BEAVER
GIANT CAT
GIANT SLOTH
HEAVY
HORNS
HUGE
LONGHORN BUFFALO
MAMMOTH
MASSIVE
MEGAFAUNA
MEGATHERIUM
MOA
RODENT
SCIMITAR CAT
SHAGGY
STRANGE
TERATORN
TUSKS
WALRUS WHALE
WOOLLY RHINO

Word Search 97 BRONTE SISTERS

R	E	X	E	R	U	T	A	R	E	T	I	L	K	J
M	I	F	S	I	S	T	E	R	S	L	E	V	O	N
I	M	F	E	L	S	H	G	L	G	Z	E	A	S	M
E	I	N	F	V	L	O	T	V	A	L	L	I	S	R
G	N	N	V	I	T	E	F	R	L	G	Y	R	E	R
A	L	J	T	H	L	Y	B	I	O	E	M	A	N	O
N	C	A	I	E	H	C	S	R	R	W	Y	M	R	C
O	H	C	N	T	L	B	H	G	E	G	A	O	E	H
S	A	U	A	D	E	L	S	T	R	R	M	H	V	E
R	R	C	W	L	S	E	I	E	A	A	R	W	O	S
A	L	B	L	U	N	C	L	G	N	E	C	U	G	T
P	O	D	F	G	T	C	A	C	E	P	H	X	C	E
S	T	R	A	G	I	C	E	P	T	N	Q	Z	M	R
E	T	T	E	L	L	I	V	S	E	Y	T	S	U	Q
H	E	T	U	B	E	R	C	U	L	O	S	I	S	Z

AGNES GREY
ANNE
CATHY
CHARLOTTE
CLERGY
CURRER BELL
ELLIS BELL
GOTHIC
GOVERNESS
HAWORTH
HEATHCLIFF
INTELLIGENT
LANDSCAPE
LITERATURE
MARIA
MR ROCHESTER
NOVELS
PARSONAGE
ROMANCE
SISTERS
TRAGIC
TUBERCULOSIS
VILLETTE

Word Search 98

S	N	E	G	O	T	I	A	T	E	S	T	B	A	N
A	L	O	R	T	N	O	C	S	M	R	A	E	L	Y
I	N	T	E	R	N	A	T	I	O	N	A	L	L	A
N	X	M	Y	E	S	N	S	K	A	M	S	B	Y	I
B	R	U	E	H	T	S	O	D	P	S	H	C	A	T
I	O	L	N	S	I	A	V	I	E	L	P	O	E	P
L	D	T	T	O	P	I	C	R	T	H	X	T	H	T
A	A	I	N	H	S	I	G	I	Y	I	E	N	N	Y
T	S	L	P	O	I	N	O	S	N	M	S	E	L	R
E	S	A	R	L	O	N	S	N	I	U	M	O	D	T
R	A	T	P	C	O	A	K	S	A	E	M	W	P	N
A	B	E	Z	Y	B	M	S	T	E	G	H	M	H	U
L	M	R	T	M	S	A	A	R	A	V	E	A	O	O
O	A	A	E	X	R	T	G	T	Z	N	W	R	Y	C
X	E	L	C	Y	A	A	A	E	E	N	K	P	O	E

ADVISOR
AGREEMENT
ALLY
AMBASSADOR
ARMS CONTROL
BILATERAL
COMMUNICATE
CONGRESS
COUNTRY
DIPLOMAT
EMBASSY
EMISSARY
ESPIONAGE
INTERNATIONAL
MISSION
MULTI-LATERAL
NEGOTIATE
PEOPLE
POSITION
TEST BAN
THINK TANK

Word Search 99 — SHOPPING LIST

S	D	V	E	G	E	T	A	B	L	E	S	C	M	Z
G	L	B	R	Y	U	B	T	J	C	C	K	T	P	Y
R	O	A	A	C	G	P	I	S	A	O	I	L	E	V
O	H	B	C	N	E	Y	N	T	E	N	F	L	I	P
C	E	Y	R	N	K	R	N	V	N	U	L	F	E	M
E	S	C	A	T	E	E	E	E	I	O	S	T	E	P
R	U	A	C	Z	G	Y	D	A	R	N	F	S	A	E
I	O	R	E	R	N	T	F	T	L	O	E	C	I	E
E	H	E	E	E	U	K	O	M	O	R	K	G	E	T
S	R	T	Z	N	F	U	O	D	X	E	A	X	A	S
F	E	O	A	T	I	G	D	R	T	X	I	V	Z	R
D	R	T	T	A	D	O	O	F	D	E	N	N	A	C
F	T	A	B	S	S	E	L	F	S	E	R	V	E	O
F	B	E	S	E	L	P	A	T	S	G	D	Y	K	L
R	Y	M	F	R	A	N	C	H	I	S	E	D	V	B

BABY CARE
BUY
CANNED FOOD
CAR CARE
CEREAL
COFFEE
DETERGENT
FRANCHISE
FREEZER
FROZEN
GROCERIES
HOUSEHOLD
MEAT
MILK
PACKET
PET FOOD
SELF SERVE
STAPLES
STORE
TINNED FOOD
TINNED TUNA
TISSUES
TROLLEY
VEGETABLES
VINEGAR

M	V	X	B	U	O	N	A	R	R	O	T	I	C	O
O	O	X	B	D	O	T	R	A	S	L	E	D	C	M
I	L	D	C	I	A	T	A	V	E	L	L	A	I	C
G	A	O	I	H	L	V	H	I	Y	Z	N	A	D	A
G	M	N	P	G	V	L	O	F	Y	O	M	I	A	S
A	A	A	G	E	L	T	E	L	M	O	C	L	V	T
V	N	I	I	E	I	I	T	R	T	P	B	N	I	I
A	T	R	N	T	L	T	A	M	O	E	P	D	N	G
R	E	B	I	A	E	I	E	N	R	N	R	S	C	L
A	G	A	R	L	C	S	C	T	I	A	G	R	I	I
C	N	F	A	N	S	S	I	O	U	C	J	I	A	O
Q	A	N	M	I	M	I	O	G	X	U	U	K	S	N
D	A	S	N	G	U	B	A	T	O	N	I	E	T	E
C	W	A	P	A	M	O	I	C	C	A	P	R	A	C
I	L	L	E	C	I	T	T	O	B	T	S	L	K	C

ALBERTI
ANGELICO
BATONI
BOTTICELLI
BUONARROTI
CANALETT
CARAVAGGIO
CARPACCIO
CASTIGLIONE
DA VINCI
DA VOLTERRA
DEL SARTO
FABRIANO
GUARDI
MANTEGNA
MARINI
MESSINA
MODIGLIANI
MONACO
SIGNORELLI
TAVELLA
TIEPOLO
TITIAN
TOSCANI

Word Search **101** BOOKER PRIZE

H	J	H	A	A	Q	E	L	L	I	V	N	A	B	L
D	U	R	R	E	L	L	T	D	D	E	D	E	O	V
B	R	D	O	O	W	T	A	B	B	C	N	D	K	W
A	D	O	R	R	A	M	C	N	D	O	G	E	B	T
I	D	T	B	Y	U	P	U	L	K	E	A	M	R	H
N	M	I	B	E	I	G	A	R	N	F	M	L	O	T
B	R	S	Q	E	R	R	I	I	D	O	I	U	O	R
R	A	G	R	G	E	T	A	H	O	O	S	H	K	O
I	Q	R	N	G	O	M	S	E	S	Z	C	N	N	W
D	E	Q	Z	I	E	R	C	Y	I	I	Q	H	E	S
G	T	T	X	R	S	E	D	X	H	D	Z	I	R	N
E	I	Z	T	V	S	S	K	I	A	H	H	T	D	U
F	C	O	E	T	Z	E	E	J	M	X	J	S	G	P
T	Y	S	E	N	R	A	B	L	E	E	Q	K	U	M
C	Y	A	N	N	M	A	R	T	E	L	R	N	F	R

AMIS
AS BYATT
ATWOOD
BAINBRIDGE
BANVILLE
BARNES
BEN OKRI
BROOKNER
COETZEE
DBC PIERRE
DURRELL
FITZGERALD
GORDIMER
HULME
ISHIGURO
LESSING
LODGE
MURDOCH
ROBERTS
RUSHDIE
TREMAIN
UNSWORTH
YANN MARTEL

Word Search 102

P	S	J	K	H	O	D	G	D	L	K	F	Q	D	E
B	E	B	Y	F	F	N	T	L	F	G	Z	H	S	T
B	R	T	G	N	I	R	E	E	N	I	G	N	E	A
S	I	N	R	T	D	W	G	Y	A	F	M	C	C	T
U	P	G	A	O	R	U	V	F	R	I	S	H	I	S
P	S	E	C	I	N	E	B	A	C	N	T	R	F	E
E	H	D	A	I	R	A	M	A	H	A	O	Y	F	R
R	U	T	I	T	T	E	S	L	I	L	J	S	O	I
T	S	M	I	M	W	I	Y	P	T	G	E	L	A	P
A	H	C	R	O	C	K	E	F	E	L	L	E	R	M
L	A	T	R	S	V	I	H	S	C	M	X	R	T	E
L	P	K	S	S	T	R	U	C	T	U	R	E	C	S
I	N	A	C	O	N	S	T	R	U	C	T	I	O	N
H	L	A	L	K	L	A	I	C	R	E	M	M	O	C
G	A	Z	S	R	O	T	A	V	E	L	E	V	T	X

ARCHITECTURE
BIG CITIES
CHRYSLER
COMMERCIAL
CONSTRUCTION
DUBAI
ELEVATORS
EMPIRE STATE
ENGINEERING
FRAMEWORK
GLASS
HEATING
MASONRY
OFFICES
PETRONAS
ROCKEFELLER
SPIRES
STAIRWELL
STEEL
STRUCTURE
SUPER-TALL
TAIPEI
VERTICAL

Word Search 103 VET VISIT

W	O	U	N	D	S	W	A	P	S	K	D	Y	T	G
E	E	V	T	E	E	R	A	C	A	E	M	Q	R	N
T	K	C	V	L	U	S	T	Z	G	T	W	E	E	U
A	W	P	T	G	Y	T	E	R	U	P	I	L	A	T
N	S	T	M	L	V	M	E	S	A	K	G	E	T	R
I	A	S	W	I	N	E	O	R	R	B	B	L	N	I
C	O	N	S	E	R	V	A	T	I	O	N	A	G	T
C	L	A	I	G	S	S	K	G	A	N	H	B	N	I
A	P	S	I	M	I	O	N	J	S	N	G	O	I	O
V	E	D	T	T	A	I	N	T	N	N	A	R	W	N
T	E	R	E	D	N	L	A	G	O	I	J	A	A	O
P	H	S	V	I	Q	C	S	X	A	V	K	T	L	V
L	S	I	A	E	N	I	U	Q	E	I	L	O	C	A
T	C	R	E	S	E	A	R	C	H	C	D	R	E	B
E	T	P	Y	G	O	L	O	H	T	A	P	Y	D	A

ADVICE
ANATOMY
ANIMALS
CARE
CATS
CATTLE
CONSERVATION
DECLAWING
DEGREE
DIAGNOSE
EQUINE
HORSES
LABORATORY
NEUTERING
NUTRITION
PARASITES
PATHOLOGY
PATIENT
PEDIGREE
RESEARCH
SHEEP
SWINE
TRAINING
TREAT
VACCINATE
WOUNDS

GO GOATS! ___________ Word Search 104

H	T	E	R	R	I	T	O	R	I	A	L	H	I	H
I	I	R	O	E	R	E	M	H	S	A	C	E	E	C
N	R	L	X	E	B	I	K	D	O	E	N	R	U	S
T	B	U	L	G	A	A	C	O	X	I	D	R	E	R
E	O	R	M	S	Z	P	U	N	P	C	I	P	L	E
L	V	N	I	I	Y	Z	B	L	I	O	Y	M	H	S
L	I	A	B	G	N	R	A	T	U	R	L	O	O	W
I	D	K	O	A	O	A	S	S	E	A	R	S	B	O
G	S	R	A	H	N	E	N	N	I	N	D	D	U	R
E	A	B	K	S	M	G	E	T	S	R	D	I	T	B
N	C	R	T	O	H	E	O	Y	T	W	K	K	T	M
T	A	E	D	M	S	M	R	R	L	A	V	I	D	I
M	P	E	Z	A	R	G	I	S	A	L	E	L	R	L
Y	R	D	H	J	H	A	I	R	B	M	I	L	C	K
A	A	M	O	U	N	T	A	I	N	W	D	B	B	F

ALPINE
ANGORA
ASIA
BILLY
BLEAT
BOVIDS
BREED
BROWSERS
BUCK
BUTT
CAPRA
CASHMERE
CLIMB
CURIOUS
DOE
DOMESTIC
GRAZE
HAIR
HERD
HILLS
HORNS
IBEX
INTELLIGENT
KASHMIR
KIDS
KRIKRI
MARKHOR
MILK
MOUNTAIN
PETS
PYGORA
PYRENEES
RUMINANT
TERRITORIAL
WILD
WOOL

Word Search 105 ________ IN THE POT

R	R	P	S	U	O	I	T	I	R	T	U	N	L	M
E	E	W	O	E	K	N	A	V	A	R	I	N	U	C
M	H	U	C	S	A	F	P	O	T	N	I	E	N	O
M	E	G	R	S	K	S	N	A	E	B	P	D	O	R
I	A	T	S	E	A	F	O	O	D	O	E	V	R	N
S	T	P	E	P	T	F	D	N	T	L	U	V	D	S
B	O	U	I	L	L	A	B	A	I	S	S	E	L	T
W	L	I	A	I	U	N	T	C	O	N	I	X	U	A
E	G	B	G	L	E	O	I	N	N	N	G	M	A	R
K	G	R	X	K	E	O	S	H	I	O	I	S	C	C
T	E	A	C	S	U	N	S	S	U	K	E	O	M	H
U	K	I	B	S	U	A	T	L	A	C	P	T	N	X
I	H	S	J	B	U	K	A	I	I	C	C	M	N	S
C	V	E	T	Q	A	S	G	U	L	D	H	K	U	J
T	P	D	S	A	H	C	J	N	O	S	B	L	W	P

BEANS
BOUILLABAISSE
BRAISED
CABBAGE
CASSOULET
CAULDRON
CHICKEN
CORNSTARCH
DELICIOUS
EINTOPF
GOULASH
JUICES
LENTILS
NAVARIN
NUTRITIOUS
ONIONS
POTATOES
PUMPKIN
REHEAT
SEAFOOD
SEASONING
SIMMER
SQUASH

E	S	S	A	N	R	A	P	T	N	O	M	X	O	O
X	F	C	A	P	I	T	A	L	U	T	E	T	I	A
F	B	E	C	A	L	A	P	S	C	Q	F	Q	Q	R
B	O	I	S	D	E	B	O	U	L	O	G	N	E	C
C	S	Z	B	M	L	R	I	P	S	R	M	R	M	D
H	T	R	Z	L	B	A	O	P	E	V	E	S	A	E
A	D	K	E	O	I	M	R	S	C	W	S	S	D	T
M	M	I	N	P	P	O	T	D	O	S	V	T	E	R
P	B	N	S	I	A	A	T	T	E	E	X	Y	R	I
D	E	R	D	T	U	R	L	H	N	H	R	L	T	O
E	E	O	I	R	R	E	C	U	E	E	T	E	O	M
M	U	X	A	D	F	I	M	S	L	Q	N	A	N	P
A	R	N	S	F	G	M	C	L	Y	B	U	V	C	H
R	T	P	I	P	O	E	A	T	Y	K	B	E	M	E
S	Z	E	C	C	K	G	S	S	S	F	S	K	F	Z

ARC DE TRIOMPHE
BIBLIOTHEQUE
BOIS DE BOULOGNE
BRIDGES
CAPITAL
CATHEDRAL
CHAMP DE MARS
COMMUNE
DISTRICTS
EIFFEL TOWER
GALLERY
LUTETIA
MONTPARNASSE
NOTRE DAME
PALACE
POMPIDOU
RESTAURANTS
RUE
SKYSCRAPERS
SORBONNE
STYLE

Word Search 107 ______ BEAUTIFUL SWANS

C	C	O	B	L	A	C	K	N	E	C	K	E	D	C
G	Y	E	F	L	N	M	R	T	S	L	X	C	T	O
I	N	G	L	A	U	I	P	G	H	T	A	E	R	S
N	R	I	N	E	V	D	G	H	U	G	E	Y	W	C
A	L	Y	N	E	G	E	D	N	I	F	I	Y	O	O
W	C	H	R	E	T	A	D	D	D	B	F	L	K	R
S	L	E	N	D	E	R	N	E	C	K	I	L	F	O
K	E	R	Y	I	A	R	B	T	E	B	W	O	G	B
C	T	B	T	E	L	B	P	G	Y	O	Y	R	U	A
A	U	I	U	N	E	P	A	Y	F	Z	A	P	B	S
L	M	V	A	W	V	M	F	R	V	C	H	I	I	O
B	T	O	E	U	U	R	E	T	E	P	M	U	R	T
M	W	R	B	L	K	T	R	F	H	V	E	T	D	D
E	R	E	P	U	A	F	U	I	N	I	N	G	Y	C
I	G	S	K	W	E	L	K	C	E	N	G	N	O	L

AMPHIBIOUS
BEAUTY
BIRD
BLACK-NECKED
BLACK SWAN
COB
COSCOROBA
CYGNET
CYGNINI

EGGS
ELEGANT
FLIGHT
GRACEFUL
HERBIVORES
LONG NECK
MUTE
PLUMAGE
PREENING

RIVER
ROYAL
SLENDER NECK
TRUMPETER
TUNDRA
WATERFOWL
WEBBED FEET

Word Search 108

Y	W	X	A	C	P	E	T	I	T	G	R	A	I	N
P	Q	G	L	O	O	M	A	M	O	R	A	L	W	Q
A	A	O	S	N	I	M	U	C	B	D	L	L	D	W
R	V	S	C	Z	L	E	D	U	M	O	A	E	E	L
E	Y	H	F	R	A	N	K	I	N	C	E	N	S	E
H	B	E	N	I	O	M	M	F	F	I	R	O	P	M
T	A	L	S	N	L	A	E	D	W	X	E	R	E	O
K	L	I	C	P	R	U	E	D	R	V	H	T	R	N
C	S	C	N	J	E	L	O	O	I	D	T	I	F	G
E	A	H	O	E	L	A	S	H	I	C	E	C	U	R
O	M	R	E	I	D	E	R	H	C	S	I	F	M	A
H	A	Y	T	N	H	R	C	M	I	T	A	N	E	S
M	D	S	H	I	N	R	A	N	I	Z	A	G	A	S
T	I	U	P	T	O	A	A	G	J	N	E	P	E	L
D	O	M	K	N	E	E	R	G	R	E	T	N	I	W

AGAR
ANISE
AROMA
BALSAM
CITRONELLA
CLOVE
CUMIN
DISTILLED
ETHEREAL
FIR
FRANKINCENSE
GARDENIA
HELICHRYSUM
HENNA
HYSSOP
LEDUM
LEMONGRASS
MARJORAM
MEDICINAL
ORCHID
PATCHOULI
PERFUME
PETITGRAIN
ROSEHIP
SAGE
SPEARMINT
THERAPY
THYME
WINTERGREEN

Word Search 109 ________ TEEN YEARS

L	L	U	F	V	I	D	E	O	G	A	M	E	S	M
N	E	E	T	X	I	S	T	E	E	W	S	G	I	Q
S	D	A	F	P	B	W	E	Y	N	O	R	N	P	T
L	Z	C	O	C	V	V	F	E	E	P	O	A	T	N
E	E	O	L	O	I	W	C	T	R	R	R	H	M	E
E	M	W	T	T	R	N	S	T	A	T	S	C	Y	C
P	S	O	C	I	A	L	N	E	T	W	O	R	K	S
S	U	A	J	W	T	E	S	I	I	C	H	A	T	E
S	O	G	O	U	G	E	M	T	O	P	F	D	P	L
T	C	L	N	E	V	E	E	N	N	R	U	Y	H	O
O	L	H	L	I	W	E	F	N	G	E	A	U	A	D
A	E	L	O	O	W	L	N	X	A	Y	D	G	S	A
P	O	W	R	O	I	O	P	I	P	G	Y	U	E	S
C	Z	K	X	C	L	Y	R	M	L	D	E	D	T	E
C	I	R	T	N	E	C	O	G	E	E	D	R	H	S

ACTIVE
ADOLESCENT
ALLOWANCE
CHANGE
CHAT
COLLEGE
CONFLICT
EGOCENTRIC
FADS
GENERATION GAP
GROWING UP
JUVENILE
MINOR
PART-TIME WORK
PHASE
SCHOOL
SLEEP
SOCIAL NETWORKS
STUDENTS
SWEET SIXTEEN
TEENAGER
VIDEO GAMES

Q	M	Z	A	N	T	E	C	U	R	R	A	N	T	X
M	S	A	U	V	I	G	N	O	N	B	L	A	N	C
A	O	N	A	L	U	I	R	F	I	A	C	O	T	C
R	M	P	X	R	R	Z	P	M	M	R	P	M	A	N
O	U	L	I	Z	I	U	E	B	D	X	W	B	N	A
O	S	B	H	N	G	E	R	W	W	R	E	X	O	L
S	C	I	Y	R	O	U	D	R	L	R	N	N	G	B
E	A	O	L	C	S	T	I	A	N	V	I	V	N	N
E	D	J	C	C	A	O	G	E	M	T	T	I	I	I
D	E	G	O	I	N	B	T	R	N	A	G	K	L	N
L	L	I	T	T	T	F	E	A	I	X	T	U	S	E
E	L	X	O	J	R	A	R	R	E	G	B	N	E	H
S	E	N	H	A	I	G	E	R	N	D	I	O	I	C
S	I	V	N	D	A	L	H	L	U	E	P	O	R	T
P	F	C	S	S	O	R	C	M	A	H	T	L	A	W

ALEATICO
CABERNET FRANC
CHENIN BLANC
LAMBRUSCO
MAROO SEEDLESS
MUSCADELLE
PINOT GRIGIO
PINOT NOIR
RIESLING
RUBY CABERNET
SAGRANTINO
SAUVIGNON BLANC
TINTA MADEIRA
TOCAI FRIULANO
WALTHAM CROSS
ZANTE CURRANT

P	R	O	F	E	S	S	I	O	N	A	L	F	F	E
P	E	S	U	O	H	B	U	L	C	G	O	D	I	Q
N	A	P	D	R	A	H	R	E	O	R	F	L	A	G
R	P	R	K	W	O	H	L	E	E	C	D	K	R	W
N	H	E	T	N	D	B	O	Q	Y	J	U	E	S	G
D	A	T	N	D	M	X	C	H	F	A	E	U	S	T
I	Y	J	E	A	N	A	C	S	O	N	L	E	O	O
O	W	A	R	E	L	A	G	E	U	B	U	P	R	U
O	G	C	W	C	O	T	S	K	R	E	E	E	T	R
F	S	O	U	R	L	F	Y	O	S	H	R	A	A	N
U	A	T	P	O	I	T	F	R	O	N	A	G	B	A
F	T	P	R	G	U	A	Y	T	M	P	W	L	L	M
A	A	J	J	I	L	E	F	S	E	C	X	E	A	E
C	M	J	T	G	C	H	A	N	D	I	C	A	P	N
S	D	R	A	Z	A	H	S	N	O	W	M	A	N	T

ALBATROSS
APPROACH
CALCUTTA
CLUBHOUSE
EAGLE
FAIRWAY
FORE
FOURSOME
GREEN
HANDICAP
HARDPAN
HAZARDS
LIE
OSTRICH
PENALTY
PLAYER
PROFESSIONAL
SAND TRAP
SCRAMBLE
SNOWMAN
STROKES
TEE OFF
TOURNAMENT

T	M	A	N	T	L	E	P	L	U	M	E	S	A	S
S	S	N	E	L	E	H	T	S	T	N	U	O	M	T
U	E	T	A	L	P	C	I	N	O	T	C	E	T	R
R	S	P	Y	R	O	C	L	A	S	T	I	C	S	A
C	B	E	R	T	S	M	F	O	C	H	C	J	O	T
S	K	N	N	Q	A	A	G	I	Q	O	R	T	C	O
H	A	W	A	I	I	A	N	I	S	L	A	N	D	S
T	Y	Y	S	A	P	D	L	T	F	K	T	U	N	P
R	U	L	M	A	E	P	A	V	A	I	E	P	A	H
A	B	G	L	R	S	R	I	R	O	M	R	Q	L	E
E	A	A	C	E	I	E	K	L	K	L	A	E	E	R
M	G	O	M	C	K	C	K	P	I	P	C	R	C	E
K	N	A	A	A	L	B	D	A	C	H	F	A	I	J
E	L	Y	I	G	T	O	I	V	L	T	P	Y	N	A
F	C	A	R	B	O	N	D	I	O	X	I	D	E	O

CARBON DIOXIDE
CINDER CONE
COSTA RICA
CRATER
EARTH'S CRUST
FIRE
FLAMES
GALAPAGOS
HAWAIIAN ISLANDS
ICELAND
KRAKATOA
LAKES
MAGMA
MANTLE PLUMES
MOUNT ST HELENS
PHILIPPINES
PYROCLASTICS
SANTA MARIA
STRATOSPHERE
TAAL VOLCANO
TECTONIC PLATE

Word Search 113 ________

EPONYMOUS BAND NAMES

S	R	E	T	N	E	P	R	A	C	E	H	T	P	R
G	T	R	E	H	C	D	N	A	Y	N	N	O	S	E
T	P	H	N	L	Q	B	A	F	G	O	I	G	V	P
H	P	S	E	O	L	V	A	O	P	N	P	I	S	O
E	A	I	H	R	G	E	N	N	T	X	F	K	I	O
R	R	S	V	Y	O	Z	B	E	A	S	I	V	F	C
A	F	T	O	A	A	L	R	A	D	T	O	O	P	E
M	D	E	U	L	N	S	L	L	L	J	N	H	D	C
O	L	R	O	V	I	H	O	I	N	T	G	A	W	I
N	O	S	A	S	Z	F	A	O	N	V	S	Y	S	L
E	G	L	T	Q	N	U	B	L	H	S	Z	P	E	A
S	T	E	V	E	M	I	L	L	E	R	B	A	N	D
Q	R	D	B	K	D	O	R	R	G	N	Z	A	Z	S
S	N	G	R	R	X	J	A	S	Y	W	U	E	N	M
T	H	E	J	G	E	I	L	S	B	A	N	D	H	D

ALICE COOPER
BEN FOLDS FIVE
BON JOVI
GOLDFRAPP
GONZALO
LABELLE
POINTER SISTERS
SADE
SANTANA
SISTER SLEDGE
SONNY AND CHER
STEVE MILLER BAND
THE CARPENTERS
THE J GEILS BAND
THE RAMONES
THE ROLLINS BAND
VAN HALEN

Word Search 114

O	M	A	T	H	R	O	N	E	R	O	O	M	W	Z
R	O	E	L	U	B	I	T	S	E	V	L	I	B	M
X	O	K	L	T	M	O	O	R	G	N	I	N	I	D
E	R	M	Y	I	E	A	O	Z	S	N	X	L	S	D
F	S	E	O	C	V	D	I	T	J	J	L	T	M	R
A	S	U	L	O	I	I	A	L	T	Z	I	L	O	A
M	A	A	O	R	R	T	N	F	R	L	A	U	O	W
I	L	C	R	H	E	A	O	G	L	O	E	Q	R	I
L	C	O	C	R	T	R	I	R	R	K	O	I	R	N
Y	C	P	O	E	C	U	O	D	A	O	Y	M	E	G
R	K	O	R	R	L	O	O	X	E	B	O	S	K	R
O	M	I	E	D	M	L	O	X	B	M	S	M	C	O
O	J	D	H	A	V	W	A	O	U	E	M	R	O	O
M	N	V	A	U	L	T	L	R	K	E	P	K	L	M
U	A	C	H	A	N	G	I	N	G	R	O	O	M	F

CELLAR
CHANGING ROOM
CLASSROOM
CORRIDOR
DINING ROOM
DRAWING ROOM
FAMILY ROOM
LIVING ROOM
LOBBY
LOCKER ROOM
MAILROOM
MEDIA ROOM
OUTHOUSE
STATE ROOM
STILLROOM
THRONE ROOM
UNDERCROFT
VAULT
VESTIBULE

Word Search 115 ________ FRIDA KAHLO

X	S	S	K	N	D	T	R	I	A	I	C	T	L	H
B	F	E	A	A	D	E	N	K	N	O	S	T	U	I
B	L	D	L	I	N	J	I	D	I	I	V	N	Z	S
U	M	U	E	F	U	E	I	R	L	J	N	A	A	P
S	E	G	E	R	T	G	L	A	R	A	D	R	A	A
A	O	R	I	H	E	A	E	A	C	A	E	B	S	N
C	N	E	V	N	O	R	U	I	D	V	M	I	A	I
C	S	N	O	U	R	U	X	G	I	G	S	V	C	C
I	W	U	H	U	O	E	S	R	H	H	A	E	A	H
D	S	I	S	L	M	L	T	E	C	T	P	M	L	Y
E	B	S	E	L	F	P	O	R	T	R	A	I	T	S
N	H	T	L	A	E	H	L	L	I	X	C	P	L	J
T	F	I	E	R	Y	A	H	K	G	M	I	S	F	X
E	N	I	C	I	D	E	M	S	M	E	L	B	M	E
W	X	O	G	G	S	U	F	F	E	R	I	N	G	P

BLUE HOUSE
BUS ACCIDENT
DIEGO
EMBLEMS
FIERY
HISPANIC
ILL-HEALTH
INDIGENOUS
INJURIES
LA CASA AZUL
LOUVRE
MAGDALENA
MARRIED
MEDICINE
MEXICAN
RIVERA
SELF-PORTRAITS
SELF-TAUGHT
SUFFERING
SURREALIST
VIBRANT

O	N	C	E	J	N	P	L	U	T	O	N	I	U	M
T	I	O	R	N	S	C	I	N	A	H	C	E	M	M
I	E	G	C	Y	E	H	S	D	I	L	O	S	U	L
S	M	S	F	I	S	R	C	M	A	S	S	T	A	A
E	H	U	T	S	L	T	G	R	L	H	N	W	O	T
L	O	R	C	T	N	I	A	Y	A	A	S	C	I	O
C	M	O	I	E	U	O	S	L	U	E	C	F	X	M
I	A	H	T	Z	L	B	I	Q	S	M	S	I	J	S
T	G	P	E	X	F	E	E	T	A	M	D	E	N	P
R	N	S	N	N	E	R	M	T	C	A	R	O	R	L
A	E	O	I	A	U	N	T	E	T	A	D	I	W	I
P	S	H	K	T	F	E	O	I	N	A	E	C	Y	T
C	I	P	A	T	R	D	O	N	R	T	G	R	Z	T
K	U	N	S	H	T	N	E	M	I	R	E	P	X	E
R	M	P	X	X	C	H	E	M	I	S	T	R	Y	R

ATOM SPLITTER
CHEMISTRY
CRYSTALS
ELEMENT
ENERGY
EXPERIMENT
GAS
KINETIC
LAWS
MAGNESIUM
MASS
MATTER
MECHANICS
NATURE
OHM
OXIDATION
PARTICLES
PHOSPHORUS
PLUTONIUM
QUANTUM
RADON
REACTIONS
RESEARCH
SILICON
SOLIDS
TEST TUBE
XENON

Word Search 117 ______________ TASTY

J	T	U	R	M	E	R	I	C	G	L	L	E	V	C
X	C	N	I	M	U	C	Y	M	J	I	I	A	T	G
X	C	J	P	A	P	R	I	K	A	B	N	S	H	D
M	J	A	X	A	A	F	N	C	C	I	H	G	A	D
L	L	C	R	M	M	O	E	O	L	G	O	H	E	B
N	E	A	E	D	G	Y	R	L	T	N	R	M	X	R
Q	O	S	B	A	A	I	A	E	L	O	S	U	W	M
O	O	R	R	N	A	M	E	S	N	M	E	S	P	A
R	R	R	F	N	O	N	O	U	A	A	R	T	E	R
D	A	E	D	F	N	M	T	M	Q	N	A	A	P	O
T	I	E	G	E	A	M	E	U	H	N	D	R	P	J
B	R	U	Y	A	E	S	R	L	K	I	I	D	E	R
S	S	A	R	G	N	O	M	E	L	C	S	M	R	A
T	C	C	X	W	Y	O	S	E	V	I	H	C	K	M
U	F	X	I	C	U	R	R	Y	L	E	A	V	E	S

BASIL
CARDAMOM
CAYENNE
CHIVES
CINNAMON
CORIANDER
CUMIN
CURRY LEAVES
GINGER
HORSERADISH
LEMON BALM
LEMONGRASS
MARJORAM
MUSTARD
NUTMEG
OREGANO
PAPRIKA
PEPPER
ROSEMARY
SAFFRON
TARRAGON
TURMERIC
VANILLA

CLEAN-UP

Word Search 118

S	T	R	A	I	G	H	T	E	N	Z	D	D	D	M
H	O	Y	H	T	O	L	C	I	R	J	F	I	R	O
N	E	A	T	E	N	U	V	M	M	V	H	S	A	O
W	J	C	K	F	M	E	G	M	R	A	G	H	C	R
D	E	L	I	O	S	N	U	A	U	C	T	E	S	D
D	P	U	T	A	W	A	Y	C	B	U	L	S	I	E
T	N	E	H	C	T	I	K	U	B	U	G	E	D	B
C	F	S	M	T	E	Z	O	L	I	M	S	E	A	C
E	Q	D	S	C	H	H	W	A	S	G	K	T	L	R
F	U	Q	U	E	S	R	R	T	H	Z	H	E	E	K
N	N	R	P	I	L	R	O	E	A	R	A	D	Y	E
I	P	I	L	E	A	T	A	W	O	N	N	N	P	B
S	M	O	A	N	E	L	O	O	O	U	T	I	D	Y
I	P	P	G	T	T	W	M	P	A	U	W	V	Z	A
D	U	E	U	H	S	B	S	L	S	C	T	L	M	F

ARRANGE
BATHROOM
BEDROOM
CLEAN
CLEAR
CLOTH
DISCARD
DISHES
DISINFECT
HEALTH
IMMACULATE
KITCHEN
LAUNDER
MATS
NEATEN
POLISH
PUTAWAY
RUBBISH
SOAK
SPOTLESS
SPRUCE
STAIN
STRAIGHTEN
SWEEP
THROW OUT
TIDY
UNSOILED
VACUUM
WIPE

Word Search 119 GREEN THINGS

W	S	U	T	C	A	C	T	N	I	A	P	M	R	Y
I	E	I	U	M	E	C	U	T	T	E	L	O	R	V
M	L	G	M	I	Q	V	C	T	A	X	V	E	F	A
C	K	R	N	N	P	H	R	U	P	N	L	V	R	G
G	C	A	A	I	Q	E	T	T	C	E	A	T	J	E
A	I	S	L	H	E	N	A	E	C	U	I	U	M	C
S	P	S	L	C	P	U	D	R	K	C	M	E	G	E
H	U	V	I	C	T	A	U	R	H	C	R	B	L	I
A	O	G	G	U	D	H	O	O	E	A	I	P	E	R
M	N	U	A	Z	B	C	K	L	L	S	P	R	J	R
R	F	G	T	R	F	E	T	D	Y	A	S	X	C	Y
O	D	F	O	R	A	R	O	S	H	O	E	S	E	F
C	B	F	R	R	U	P	B	R	O	C	C	O	L	I
K	C	U	Q	T	F	E	S	A	V	O	C	A	D	O
E	K	A	N	S	G	L	B	A	P	Y	T	J	Y	Z

ALLIGATOR
APPLE
ARTICHOKE
ASPARAGUS
AVOCADO
BROCCOLI
CACTUS
CELERY
CRICKET
CUCUMBER
DRESS
EMERALD
FROG
GRASS
IGUANA
LEPRECHAUN
LETTUCE
PAINT
PEAR
PICKLE
SHAMROCK
SHOES
SNAKE
TREE
TURTLE
ZUCCHINI

L	Z	L	T	S	V	A	L	E	N	T	I	N	E	X
S	T	F	E	U	E	E	N	G	A	P	M	A	H	C
Z	I	D	C	S	Z	N	T	E	U	Q	U	O	B	Y
G	Y	X	N	P	M	E	T	A	L	O	C	O	H	C
I	F	C	A	E	D	E	O	I	X	R	Y	E	G	G
S	D	X	M	C	I	Z	S	C	M	R	D	Z	I	T
R	S	A	O	I	C	R	F	S	E	E	T	G	R	A
E	E	Z	R	A	S	E	E	L	A	R	N	E	L	D
W	S	B	R	L	B	N	L	G	A	G	N	T	F	R
O	O	E	M	R	I	E	E	D	N	N	E	A	R	E
L	R	I	U	E	W	N	I	K	I	I	Q	D	I	N
F	X	A	U	E	M	T	G	D	O	U	L	O	E	T
T	R	A	J	T	I	E	D	A	Y	T	U	R	N	R
Y	E	O	B	O	Y	F	R	I	E	N	D	E	D	A
B	T	Y	N	S	W	E	E	T	H	E	A	R	T	P

ADORE
BEAU
BOUQUET
BOYFRIEND
CARE
CHAMPAGNE
CHOCOLATE
DARLING
DAY
DINNER
FEBRUARY
FLOWERS
GIFT
GIRLFRIEND
JEWELLERY
LINGERIE
MESSAGE
PARTNER
REMEMBER
ROMANCE
ROSES
SENTIMENT
SPECIAL
SWEETHEART
TOKENS
TRADITION
VALENTINE

Word Search 121 ____ TERRACOTTA ARMY

S	S	S	F	O	R	M	A	T	I	O	N	Z	O	O
L	E	D	X	S	S	G	A	N	C	Q	Q	K	M	K
I	L	R	C	S	L	D	F	U	K	H	O	X	S	F
F	Y	O	U	C	T	A	N	P	S	R	I	R	A	I
E	T	W	W	T	N	R	S	A	A	O	O	N	L	R
S	S	S	Y	T	P	T	O	M	S	I	L	T	A	S
I	R	D	R	A	O	L	M	N	R	U	N	E	K	T
Z	I	Y	T	I	M	E	U	R	G	U	O	I	U	E
E	A	R	R	E	D	N	A	C	O	M	L	H	X	M
D	H	A	L	E	C	W	B	M	S	L	E	P	T	P
S	H	A	A	N	X	I	P	R	O	V	I	N	C	E
C	O	R	O	F	F	I	C	E	R	S	P	M	C	R
W	T	N	E	M	S	T	F	A	R	C	M	L	L	O
H	I	L	C	Q	S	T	A	B	O	R	C	A	A	R
W	D	N	U	O	R	G	L	A	I	R	U	B	Y	Q

ACROBATS
BURIAL GROUND
CHARIOTS
CHINA
CLAY
CRAFTSMEN
FIRST EMPEROR
FORMATION
HAIRSTYLES
INFANTRY
LIFE-SIZED
MAUSOLEUM
MOUNT LI
OFFICERS
RAMMED EARTH
SCULPTURES
SHAANXI PROVINCE
SKILL
STRONGMEN
SWORDS
THOUSANDS
WARRIORS

C	H	E	S	T	O	F	D	R	A	W	E	R	S	O
H	S	W	C	F	M	T	B	E	A	N	B	A	G	U
E	C	E	Y	O	E	B	O	O	K	C	A	S	E	T
T	U	Y	A	N	F	T	R	O	P	N	E	V	A	D
L	X	G	I	T	P	F	O	R	Q	X	C	H	E	O
F	E	B	N	V	E	U	E	H	I	R	C	L	E	O
P	A	U	J	O	X	F	G	E	E	A	B	S	T	R
C	J	T	C	A	L	L	O	D	T	A	H	R	T	S
O	B	S	U	Y	G	E	E	O	T	A	E	C	E	E
P	U	E	P	R	F	N	S	G	T	C	B	V	S	T
V	I	H	B	C	Z	L	N	I	L	R	L	L	K	T
Y	L	C	O	A	M	I	Z	I	A	E	E	Y	E	I
E	T	A	A	G	N	Y	N	J	H	H	D	S	G	N
O	I	E	R	I	L	E	Y	S	J	E	C	G	T	G
K	N	T	D	C	R	E	B	O	R	D	R	A	W	L

BEAN BAG
BOOKCASE
BUILT IN
CABINET
CHAIR
CHAISE LONGUE
CHEST OF DRAWERS
COFFEE TABLE
CREDENZA
CUPBOARD
DAVENPORT
DINING TABLE
FOOTREST
OUTDOOR SETTING
RECLINER
SEAT
SETTEE
SHELVES
TEA CHEST
WARDROBE

U	B	A	R	U	H	D	B	G	G	F	F	M	E	C
E	Z	D	K	J	N	P	I	G	H	L	S	E	N	L
V	V	I	O	A	O	G	U	E	I	I	F	D	G	I
E	W	O	L	M	I	A	Y	J	C	L	N	I	A	M
S	R	G	L	O	E	C	N	I	B	O	T	E	M	A
A	N	E	T	Y	A	S	T	O	T	E	S	V	E	T
E	O	T	C	R	L	S	D	R	F	L	A	A	L	E
S	O	Q	E	U	A	T	E	A	C	A	T	L	R	C
I	G	T	F	N	A	D	R	W	Y	H	R	P	A	H
D	I	I	O	Q	A	H	L	U	E	B	A	C	H	A
L	H	M	J	M	T	M	C	K	O	K	O	J	C	N
H	T	A	E	D	K	C	A	L	B	C	J	O	P	G
E	R	U	T	C	E	T	I	H	C	R	A	S	K	E
I	S	L	A	M	I	C	S	C	H	O	L	A	R	S
U	C	H	R	I	S	T	I	A	N	I	T	Y	U	L

ARCHITECTURE
BLACK DEATH
CHARLEMAGNE
CHAUCER
CHRISTIANITY
CLIMATE CHANGE
COURTLY LOVE
DISEASE
DOMESDAY BOOK
ENGLAND
GIOTTO
ISLAMIC SCHOLARS
JOAN OF ARC
LITERACY
MEDIEVAL
MONASTICISM
NOTRE DAME

M	E	M	R	N	U	N	P	R	E	P	K	H	P	L
I	H	A	S	E	L	A	T	R	H	E	O	Q	A	L
D	T	N	Y	W	L	R	C	Y	O	O	O	J	R	A
D	A	C	Q	R	D	I	S	U	P	L	C	F	S	V
L	B	I	J	K	U	I	G	I	A	M	O	D	O	E
E	F	P	E	O	C	B	L	I	G	I	K	G	N	I
A	O	L	K	I	U	G	R	Q	O	R	L	G	U	D
G	E	E	A	R	R	R	R	E	A	U	L	B	S	E
E	F	N	W	I	E	E	N	W	T	I	S	W	A	M
S	I	D	M	C	N	L	H	E	S	N	Y	N	S	F
H	W	A	U	O	S	T	C	H	Y	Z	A	P	D	F
Z	G	A	M	S	U	P	O	E	M	R	R	C	V	N
E	H	M	A	O	P	A	R	D	O	N	E	R	A	U
C	U	L	S	H	N	O	I	T	P	U	R	R	O	C
S	C	A	N	O	N	Y	E	O	M	A	N	P	I	B

CANON YEOMAN
CANTERBURY
CHAUCER
CLASS
CLERK
COOK
CORRUPTION
ENGLISH
FABLIAU
JOURNEY
MANCIPLE
MEDIEVAL
MIDDLE AGES
NUN
PARDONER
PARSON
PHYSICIAN
PILGRIMAGE
POEM
PROLOGUE
RELIGIOUS
SOUTHWARK
SUMMONER
TALES
WIFE OF BATH

F	O	R	W	O	O	D	B	L	O	C	K	L	R	L
P	D	D	U	N	O	I	T	C	U	D	E	D	Q	N
R	A	K	O	C	Y	D	V	Z	M	R	D	Y	U	L
E	M	P	E	T	A	L	U	P	I	N	A	M	A	C
T	A	A	E	A	T	T	I	A	I	E	B	C	X	R
U	T	N	F	R	A	O	T	F	N	E	I	L	P	O
P	H	H	N	N	A	I	D	T	R	N	T	E	A	S
M	E	S	G	O	L	N	A	O	A	K	Q	V	T	S
O	M	R	E	O	I	N	D	H	T	S	Z	A	T	W
C	A	Y	S	A	G	T	C	P	A	Q	W	R	E	O
M	T	L	S	L	R	E	C	G	E	M	G	N	R	R
W	I	Y	E	D	M	C	C	U	I	N	G	U	N	D
Q	C	D	R	R	F	T	H	K	D	S	C	I	S	S
L	A	T	E	R	A	L	T	H	I	N	K	I	N	G
D	L	A	N	A	G	R	A	M	S	B	I	N	L	E

ANAGRAMS
COMPUTER
CROSSWORDS
DEDUCTION
DOT TO DOT
ENIGMA
ENTANGLED
FIND
INDUCTION
LATERAL THINKING
MANIPULATE
MATHEMATICAL
MECHANICAL
NUMBER
PAPER AND PENCIL
PATTERNS
SEARCH
SOLITAIRE
TANGRAM
UNRAVEL
WOOD BLOCK

P	H	P	R	I	M	E	M	I	N	I	S	T	E	R
G	B	C	R	H	P	T	N	E	D	I	S	E	R	P
Y	Z	R	R	E	C	O	R	O	N	A	T	I	O	N
R	V	Y	E	A	J	T	A	R	C	O	T	U	A	D
A	O	E	K	D	N	G	Y	E	D	M	D	U	I	C
T	F	K	A	O	A	O	E	N	C	U	H	C	Y	H
I	S	U	M	F	J	E	M	N	C	N	T	T	D	A
D	O	D	W	S	J	K	L	H	E	A	I	O	J	I
E	V	D	A	T	L	J	E	S	T	R	M	R	Y	R
R	E	N	L	A	B	S	S	O	O	A	A	T	P	M
E	R	A	R	T	S	E	R	H	I	F	S	L	E	A
H	E	R	X	E	R	S	T	N	E	E	I	T	V	N
S	I	G	B	P	A	U	E	I	J	J	E	E	U	S
B	G	H	M	V	A	L	H	A	T	H	R	O	N	E
F	N	E	N	F	R	C	M	Y	T	S	A	N	Y	D

AUTHORITY
AUTOCRAT
CHAIRMAN
CHIEF
CORONATION
DICTATOR
DOMAIN
DUCHESS
DYNASTY
EMPRESS
GENERAL
GRAND DUKE
HEAD OF STATE
HEREDITARY
LAWMAKER
LEADER
MAJESTY
MONARCH
PRESIDENT
PRIME MINISTER
PRINCE
REALM
SEAT
SOVEREIGN
THRONE

Word Search 127 __________ PYTHONS

Z	N	O	N	V	E	N	O	M	O	U	S	C	C	Y
G	S	E	I	G	T	Z	N	A	S	G	G	E	R	S
A	L	B	I	N	O	A	J	D	E	P	P	R	E	H
Y	I	L	U	T	R	L	D	Z	N	M	Q	T	T	O
C	O	N	S	T	R	I	C	T	I	O	N	I	I	R
N	C	R	A	Z	A	E	P	S	P	L	P	G	C	T
D	E	M	E	M	D	R	D	E	P	P	U	E	U	T
R	U	W	O	T	E	M	E	B	I	O	Z	R	L	A
S	A	N	G	S	A	R	L	T	L	A	T	Z	A	I
A	D	M	S	U	T	W	L	T	I	O	O	T	T	L
X	L	U	N	N	I	E	N	E	H	G	O	E	E	E
R	R	K	E	A	S	N	V	W	P	W	P	D	D	D
E	F	E	Q	S	Y	X	E	P	O	R	Y	N	Z	L
H	R	A	P	M	Z	M	U	A	A	R	O	F	C	Y
G	D	E	D	A	E	H	K	C	A	L	B	M	B	Y

ALBINO
BLACK-HEADED
BROWN WATER
CARPET
COILS
CONSTRICTION
DIAMOND
EGGS
GREEN TREE
MYANMAR
NEW GUINEA
NON-VENOMOUS
PHILIPPINES
PITLESS
PRESSURE
RED BLOOD
RETICULATED
SHORT-TAILED
SPOTTED
SUMATRAN
TIGER

K	Y	W	D	R	S	D	T	E	K	R	A	M	T	G
Z	E	F	T	E	E	Z	L	Z	S	S	C	M	C	T
N	R	S	S	V	S	A	V	T	L	K	T	D	U	J
N	E	U	I	Y	I	I	L	A	N	I	G	I	R	O
T	O	C	H	R	T	N	G	L	P	L	A	N	T	R
E	E	I	T	E	E	I	A	N	C	L	E	V	S	E
C	L	M	T	E	N	I	U	R	Y	B	K	Y	N	V
H	W	E	D	N	R	G	T	N	E	T	A	P	O	O
N	A	C	D	E	E	I	I	C	E	V	M	K	C	C
O	R	H	T	O	M	V	L	N	C	G	I	B	I	S
L	D	A	D	A	M	E	N	P	E	O	N	S	D	I
O	M	N	G	A	V	F	Q	I	C	E	S	I	E	D
G	P	I	X	E	C	R	E	A	T	E	R	T	A	Z
Y	N	C	R	X	S	J	B	N	O	V	E	L	T	Y
E	E	S	I	N	N	O	V	A	T	I	V	E	Z	Z

CLEVER
CONSTRUCT
COST
CREATE
DESIGN
DEVICE
DISCOVER
DRAW
ENGINEER
IDEA
IMAGINE
INGENUITY
INNOVATIVE
INVENTION
MAKE
MARKET
MATERIAL
MECHANICS
MODEL
NEED
NEW
NOVELTY
ORIGINAL
PATENT
PLAN
REVISE
SKILL
TECHNOLOGY
TEST
TRIAL
USES

Word Search 129 _______________ FAIRIES

X	C	H	A	N	G	E	L	I	N	G	Q	J	S	E
F	Q	E	W	L	I	N	B	D	Y	E	Q	W	P	D
I	O	K	M	N	A	R	I	L	N	U	N	X	R	D
F	Z	L	H	E	O	E	H	L	E	J	P	T	I	V
K	E	W	K	W	R	T	R	E	B	R	R	O	T	R
G	P	I	N	L	R	M	N	E	O	O	N	O	E	L
M	R	I	H	A	O	M	A	T	H	A	G	T	T	L
Y	E	E	E	C	A	R	E	I	M	T	N	H	N	E
T	Q	N	M	B	S	C	E	U	D	A	E	F	A	B
H	U	V	Z	L	T	I	H	W	H	X	W	A	I	R
I	A	W	H	I	I	I	M	C	N	P	H	I	D	E
C	Y	M	O	Y	C	N	N	F	L	E	I	R	A	K
A	Y	N	D	F	O	E	G	E	N	I	E	Y	R	N
L	F	I	K	C	U	P	C	T	G	N	O	M	E	I
H	A	N	U	A	H	C	E	R	P	E	L	L	C	T

ARIEL
BROWNIE
CHANGELING
ENCHANTER
ETHEREAL
FOLKLORE
GENIE
GNOME
GOBLIN
GREMLIN
HUMANOID
LEPRECHAUN
MERMAID
MISCHIEF
MYTHICAL
PROTECTION
PUCK
QUEEN MAB
RADIANT
SPRITE
TINKER BELL
TOOTH FAIRY
UNEARTHLY

I	D	Y	V	F	X	C	O	O	K	I	N	G	F	M
N	X	F	I	D	O	O	F	T	S	A	F	F	U	S
G	R	O	C	E	R	I	E	S	E	G	E	L	N	N
E	E	S	T	I	R	G	H	C	R	K	U	N	O	O
S	Y	S	U	T	R	F	N	T	C	B	F	P	U	I
T	U	G	A	S	F	A	I	O	A	O	K	C	R	S
N	Z	U	L	A	N	O	M	P	O	Q	O	P	I	I
O	I	C	S	E	P	E	D	D	A	N	N	H	S	V
L	X	E	T	F	S	C	S	D	O	K	C	V	H	O
N	N	S	T	T	O	T	E	I	E	D	C	E	M	R
T	U	G	I	O	U	N	T	N	R	R	X	A	E	P
S	N	B	K	F	R	A	E	R	T	Y	G	N	N	I
S	L	E	F	W	R	P	M	D	Y	R	K	R	T	S
E	R	T	N	E	M	H	S	E	R	F	E	R	U	P
Y	S	U	B	S	I	S	T	E	N	C	E	E	R	B

COMESTIBLE
COOKERY
COOKING
ENTREE
FAST FOOD
FEAST
FODDER
FOODSTUFF
GRITS
GROCERIES
GRUB
INGEST
NOURISHMENT
PABULUM
PROTEIN
PROVISIONS
RATION
REFRESHMENT
SNACK
SUBSISTENCE
SUSTENANCE
VICTUALS

Word Search 131 FICTIONAL HORSES

Z	Q	L	T	H	G	I	L	N	O	O	M	Q	O	S
T	L	T	O	O	F	E	R	I	F	E	N	Z	H	M
U	H	L	T	E	R	R	Y	T	O	O	C	A	U	B
B	Z	E	Z	H	E	N	H	R	E	E	D	K	R	L
C	A	A	P	G	T	G	A	L	K	O	L	A	L	A
R	L	N	G	I	I	O	O	D	W	W	N	L	Q	C
B	C	I	N	L	E	P	L	F	O	T	Y	C	E	K
M	R	U	R	E	A	Z	A	A	A	H	E	R	O	B
T	I	A	B	N	R	X	U	R	F	A	E	F	C	E
Q	T	R	C	D	C	S	E	D	J	S	M	L	S	A
S	C	Z	G	I	I	S	D	T	Z	U	A	I	I	U
D	G	U	L	L	I	V	E	R	C	F	L	C	C	T
G	H	L	V	T	I	V	R	U	P	E	F	K	F	Y
F	L	E	D	G	E	P	M	T	O	L	B	A	I	D
O	R	T	H	U	N	D	E	R	H	E	A	D	F	T

ANTARES
ASFALOTH
BANNER
BELLE
BLACK BEAUTY
BLAZE
CISCO
DIABLO
FIREFOOT
FLAME
FLEDGE
FLICKA
GULLIVER
HASUFEL
HERO
MOONLIGHT
MR ED
NAPOLEON
PILGRIM
SHADOWFAX
SILVER
STARLIGHT
THE PIE
THUNDERHEAD
TORNADO
TRIGGER

S	N	H	A	D	U	C	A	R	R	A	B	T	S	A
U	I	A	A	N	D	I	U	Q	S	B	U	U	R	L
R	H	L	F	K	R	A	H	S	U	R	P	J	E	B
L	P	I	K	O	K	C	F	L	T	O	S	F	T	A
A	L	B	E	F	R	O	G	L	T	N	D	K	S	T
W	O	U	S	G	D	R	E	C	A	O	N	L	B	R
B	D	T	A	E	N	S	O	I	G	M	L	Z	O	O
C	R	C	E	H	A	O	L	M	F	A	I	O	L	S
S	H	O	I	X	D	S	P	L	E	I	N	N	X	S
N	W	R	L	S	W	A	N	S	U	O	S	T	G	A
A	P	A	F	G	T	O	R	A	I	G	T	H	V	O
K	E	L	K	O	A	U	D	L	K	K	A	D	E	S
E	G	C	A	M	F	G	A	U	Y	E	A	E	I	S
S	U	D	I	T	P	E	D	U	G	O	N	G	S	O
D	M	B	R	E	S	C	R	O	C	O	D	I	L	E

- ALBATROSS
- AXOLOTL
- BARRACUDA
- BROLGA
- CORAL
- CROCODILE
- DOLPHIN
- DUCK
- DUGONG
- FISHES
- FLAMINGO
- FROG
- FUR SEAL
- HALIBUT
- LOBSTER
- OCTOPUS
- SEA LION
- SEA SNAKE
- SEAGULL
- SHARK
- SNAILS
- SNAKES
- SPONGE
- SQUID
- SWAN
- TOAD
- TURTLES
- WALRUS

Word Search 133 PINEAPPLE

H	Q	E	S	E	N	A	G	N	A	M	D	C	R	O
P	A	K	D	A	L	A	S	Y	R	E	S	B	R	Y
C	P	C	O	R	E	L	S	Y	C	S	R	Y	B	Q
L	I	M	G	D	T	O	E	I	R	O	E	P	I	R
T	H	P	I	R	R	I	L	M	M	U	Z	C	C	D
Y	Y	C	I	B	I	S	U	E	A	T	P	N	L	B
C	E	E	E	Z	D	L	L	R	L	R	I	C	I	A
D	R	T	N	E	Z	I	L	A	F	M	A	O	A	R
B	Y	O	Z	T	A	A	C	E	A	O	D	C	T	B
C	E	A	W	D	U	I	G	T	D	T	E	O	K	E
B	L	B	J	N	P	H	I	K	T	A	T	N	C	C
G	L	R	S	O	L	V	C	C	B	L	N	U	O	U
Q	O	X	R	J	Y	D	T	H	O	E	I	T	C	E
H	W	T	K	T	A	R	T	K	R	G	M	B	O	D
U	W	P	I	N	A	C	O	L	A	D	A	V	S	L

BARBECUED
BROMELIAD
CARAMEL
CHUTNEY
COCKTAIL
COCONUT
CORE
CROWN
DICED
EAT
FRUIT
GELATO
GLAZED
GRILLED
MANGANESE
MINTED
PINA COLADA
PIZZA
RIPE
SALAD
SLICED
SORBET
SYRUP
TART
TROPICAL
VITAMIN C
YELLOW

I	I	N	T	E	R	A	C	T	I	O	N	N	N	Y
S	N	I	G	N	C	O	E	N	K	B	B	O	Y	I
T	Y	C	D	X	L	O	D	T	M	P	I	A	T	N
A	N	Q	O	O	N	U	M	A	H	T	S	T	I	S
N	A	A	N	M	S	O	T	M	A	N	E	V	N	T
D	U	Y	N	T	E	E	I	R	U	K	I	C	A	I
A	R	S	R	I	R	V	E	T	C	N	B	C	M	T
R	B	I	S	N	M	N	A	A	A	N	I	C	U	U
D	A	E	A	A	E	O	R	R	N	L	Q	T	H	T
L	N	L	X	G	L	B	D	V	Y	M	U	E	Y	I
E	R	U	T	L	U	C	B	U	S	L	E	P	H	O
D	U	N	L	A	N	R	E	T	A	P	T	V	O	N
Q	S	T	R	U	C	T	U	R	E	E	S	V	A	P
P	O	V	E	R	T	Y	U	V	H	G	A	D	S	A
R	V	G	A	T	A	R	T	S	H	A	C	L	O	F

AGE
BRACKET
CASTE
CLASS
COLONY
COMMUNITY
DOMINANT
ETHNIC
GENERATION
HUMANITY
INCOME
INDUSTRIAL
INSTITUTION
INTERACTION
MATERNAL
PATERNAL
POPULATION
POVERTY
RURAL
STANDARD
STRATA
STRUCTURE
SUBCULTURE
URBAN

Word Search 135

PRESCHOOL PAINTBOX

N	K	C	A	L	B	R	M	A	U	N	E	E	R	G
T	J	J	A	S	U	A	V	I	O	L	E	T	R	E
U	T	P	Z	O	E	S	I	Q	K	E	S	K	X	M
R	Z	P	L	R	I	T	A	N	G	E	R	I	N	E
Q	W	O	C	E	M	M	O	N	R	E	T	A	W	R
U	C	O	N	B	A	O	A	T	P	Y	W	E	L	A
O	R	N	L	U	R	R	Z	A	I	W	H	L	I	L
I	A	E	V	L	O	I	S	B	G	N	I	P	G	D
S	T	E	V	Y	E	T	G	S	M	M	T	R	H	H
E	N	E	A	L	E	Y	D	H	C	A	E	U	T	S
J	E	L	V	L	I	L	N	L	T	A	R	P	L	U
O	G	A	Q	I	O	S	Q	T	A	Z	R	O	K	R
L	A	N	Q	B	B	R	O	W	N	R	P	L	O	B
C	M	X	E	X	A	C	R	I	M	S	O	N	E	N
F	B	E	R	U	T	C	I	P	V	V	H	C	Z	T

BLACK
BOLD
BRIGHT
BROWN
BRUSH
COLOUR
CORAL
CREAM
CRIMSON
EMERALD
GREEN
LIGHT
MAGENTA
MAROON
MAUVE
ORANGE
PASTEL
PICTURE
PURPLE
ROYAL
SCARLET
SIENNA
SILVER
TANGERINE
TINT
TURQUOISE
VIOLET
WATER
WHITE
YELLOW

Word Search 136

U	Y	I	R	R	U	O	P	T	O	P	M	I	N	T
S	H	A	M	P	O	O	G	R	A	S	S	S	O	M
P	J	A	S	E	N	B	A	K	I	N	G	R	R	C
O	Q	M	L	O	F	N	I	C	A	K	E	E	A	H
R	C	B	M	L	E	V	W	S	E	R	C	W	N	O
E	O	E	L	D	I	R	N	R	C	N	U	O	G	C
D	L	G	R	O	O	N	L	O	E	U	J	L	E	O
N	O	A	G	S	S	I	A	S	I	A	I	F	S	L
E	G	S	E	B	O	S	S	V	S	T	O	T	V	A
V	N	S	N	H	O	E	O	M	S	B	O	Z	S	T
A	E	S	T	R	S	Q	I	M	Q	E	D	L	B	E
L	T	A	C	H	O	N	E	Y	S	U	C	K	L	E
V	B	H	E	E	E	E	F	F	O	T	Z	I	N	K
N	I	R	R	M	N	F	D	A	E	R	B	I	P	Y
D	B	S	N	U	B	T	G	N	K	T	P	A	O	S

BAKING
BATH OIL
BISCUITS
BLOSSOMS
BREAD
BUNS
CAKE
CHOCOLATE
COLOGNE
ESSENCE
FLOWERS
GARDEN
GRASS
HERB
HONEYSUCKLE
JASMINE
LAVENDER
LEMON
LOTION
MINT
ORANGES
ORCHID
PINE
POT POURRI
ROSES
SAGE
SCENT
SHAMPOO
SOAP
SPICES
TOFFEE
VANILLA

Word Search **137** __________ ING WORDS

G	G	N	I	H	C	T	A	W	V	T	G	L	B	R
G	N	U	W	Z	I	C	S	D	E	N	E	I	H	E
U	N	I	S	A	Z	Q	G	T	I	L	D	S	O	P
V	G	I	D	Y	S	Q	G	R	I	E	L	T	L	A
M	N	I	H	A	H	H	A	J	C	C	G	E	F	I
G	I	U	U	C	E	C	I	O	G	N	K	N	U	R
N	S	X	U	X	R	R	R	N	I	T	T	I	R	I
I	W	E	Q	J	D	A	I	D	G	O	S	N	N	N
G	O	A	E	N	T	M	E	M	S	I	L	G	I	G
N	R	X	V	I	M	E	L	S	N	I	U	B	S	U
U	B	Y	N	U	F	O	I	G	Z	Z	I	U	H	B
O	P	G	R	H	G	N	I	P	E	E	L	S	I	R
L	A	T	T	J	G	N	P	A	I	N	T	I	N	G
J	S	H	N	X	G	M	E	N	D	I	N	G	G	Y
U	A	T	E	L	E	P	H	O	N	I	N	G	W	I

BROWSING
CARING
DECORATING
FEEDING
FURNISHING
LISTENING
LOUNGING
MENDING
PAINTING
READING
REPAIRING
SEARCHING
SINGING
SLEEPING
STICKING
STRUMMING
TELEPHONING
TOSSING
TV WATCHING
WASHING

N	S	W	R	I	T	E	R	S	B	L	O	C	K	X
F	R	C	N	O	I	S	U	L	C	N	O	C	A	D
I	E	U	E	O	W	T	N	E	V	N	I	M	Z	D
R	T	T	H	N	I	I	T	E	N	S	I	O	N	F
S	C	I	R	E	E	T	B	N	E	L	A	T	C	L
T	A	D	N	Y	H	S	A	T	C	S	B	K	X	A
P	R	E	M	S	D	F	O	C	T	S	C	L	S	S
E	A	I	N	P	P	N	R	O	I	R	W	E	C	H
R	H	S	F	I	D	I	R	A	E	D	C	G	H	B
S	C	D	R	N	L	Y	R	A	M	N	E	S	A	A
O	X	R	E	E	L	T	T	A	E	E	H	D	P	C
N	J	O	M	I	D	I	S	T	T	A	W	E	T	K
Q	I	W	N	J	O	A	N	R	P	I	Y	O	E	B
Y	Y	E	B	N	B	E	E	E	I	R	O	I	R	S
P	U	B	L	I	S	H	E	R	N	F	R	N	S	K

CHAPTERS
CHARACTERS
CLIMAX
CONCLUSION
CREATION
DEDICATION
EDIT
ENDNOTE
FIRST LINE
FIRST PERSON
FLASH BACK
FRAMEWORK
INSPIRATION
INVENT
PUBLISHER
READERS
SCENES
SENTENCES
SHAPE
STORYLINE
TALE
TENSION
WORDS
WRITER'S BLOCK

Word Search 139 ________ ROBOTICS

N	A	T	S	X	E	T	W	T	K	G	R	T	R	W
A	K	N	G	C	S	I	O	S	O	S	O	O	R	H
R	L	E	V	K	L	W	S	B	T	B	T	N	H	J
T	A	G	Q	U	S	Z	A	O	O	C	O	M	K	A
I	N	I	J	B	E	N	B	R	E	R	E	R	U	C
F	N	L	N	S	W	O	A	F	M	C	E	T	E	J
I	L	L	P	R	N	T	F	K	H	R	O	L	L	A
C	I	E	Q	A	L	E	H	A	E	P	O	E	E	M
I	N	T	N	E	D	U	N	E	I	R	O	B	R	T
A	K	N	D	N	Y	I	R	L	X	Y	O	X	O	G
L	A	I	E	D	C	D	O	Q	I	A	X	B	T	T
U	G	G	R	A	B	T	R	E	T	U	P	M	O	C
C	E	F	L	C	A	U	T	O	M	A	T	O	N	T
F	A	C	T	O	R	Y	R	O	B	O	T	S	D	M
A	E	N	U	R	O	T	A	L	U	P	I	N	A	M

AEROBOT
ARTIFICIAL
AUTOMATON
AUTOPILOT
CAD
COMPUTER
DELTA ROBOT
END EFFECTOR
FACTORY ROBOTS
HEXAPOD
INTELLIGENT
KLANN LINKAGE
MANIPULATOR
MECHANICAL
NANOBOTS
SNAKE ROBOT
SWARM ROBOT
TELEROBOT

M	I	A	F	B	D	R	I	V	E	W	A	Y	O	C
E	L	Y	K	R	A	P	T	B	L	M	Q	C	R	W
T	D	T	Q	I	A	T	H	I	C	Z	C	Q	L	U
A	L	Y	H	C	R	M	H	F	R	U	E	X	L	B
L	C	U	Z	K	L	N	E	R	T	E	M	L	A	U
U	P	X	W	R	U	J	H	S	O	Y	O	I	H	I
S	I	C	I	S	L	A	T	E	D	O	H	J	K	L
N	G	N	I	L	I	T	C	R	M	R	M	I	R	D
I	G	D	R	M	C	R	U	T	J	C	T	W	O	E
O	K	V	O	E	S	T	K	T	P	C	O	E	O	R
V	S	F	M	O	S	C	H	Z	H	R	W	Z	L	B
Q	S	E	F	J	W	G	X	E	O	W	E	A	F	P
S	N	S	M	O	I	U	N	G	N	Z	U	V	L	W
T	N	A	I	L	O	N	U	V	F	Z	L	W	A	L
R	A	T	R	O	M	R	S	R	E	R	A	E	B	P

BATHROOM
BEARERS
BRICK
BUILDER
CEMENT
DRIVEWAY
FLOOR
FRAME
HALL
INSULATE
KITCHEN
LIGHT
MORTAR
NAIL
PAVER
ROOF
SLATE
STUCCO
STURDY
TILING
WALL
WOOD

Word Search 141 FUNFAIR FOOD

F	R	E	N	C	H	F	R	I	E	S	W	O	Z	M
C	T	T	I	L	P	S	A	N	A	N	A	B	A	N
F	O	I	P	E	I	P	J	D	F	H	S	E	V	W
C	R	O	U	O	L	Z	O	U	O	W	R	U	C	O
C	O	V	K	R	T	O	F	T	E	C	O	E	S	R
O	X	F	S	I	F	A	C	E	E	N	R	L	A	B
R	U	J	F	T	E	H	T	C	I	C	A	P	L	H
N	Y	L	S	E	I	S	I	O	S	R	N	P	A	S
C	F	A	R	P	E	U	N	V	E	H	G	A	D	A
H	F	A	S	L	I	R	C	J	L	S	E	E	R	H
I	L	Z	D	C	I	D	L	S	Q	J	J	E	O	O
P	I	O	L	N	C	Y	N	C	I	H	U	F	L	M
S	O	G	G	S	R	E	T	A	W	B	I	F	L	O
N	H	S	F	C	H	I	C	K	E	N	C	O	K	E
Z	F	R	I	E	D	R	I	C	E	B	E	T	P	N

BANANA SPLIT
BEAN DIP
BISCUITS
CHICKEN
COFFEE
COOKIES
CORN CHIPS
FAST FOOD
FRENCH FRIES
FRIED RICE
FRUIT
HASH BROWN
HOT CHIPS
ICE CREAM
NOODLES
ONION RINGS
ORANGE JUICE
PIE
POTATOES
SALAD ROLL
SWEETS
TOFFEE APPLE
WATER

G	Y	E	F	J	L	R	P	D	Q	G	E	N	S	N
N	Y	A	V	Y	I	I	O	L	N	C	D	A	E	M
I	K	R	W	A	S	W	N	I	Z	E	G	B	L	C
B	Q	L	G	E	N	S	F	K	S	S	E	I	G	V
B	Y	I	V	H	L	R	L	C	T	R	F	N	G	A
I	B	O	I	I	U	Y	E	A	G	U	W	D	O	C
J	L	L	D	S	V	N	T	N	L	Y	R	I	G	R
G	L	E	Z	C	T	G	M	S	I	O	G	N	G	O
X	S	G	D	D	K	G	N	O	E	P	M	G	S	B
X	K	N	E	I	L	L	O	I	U	E	E	S	R	A
A	E	P	I	P	F	L	A	H	T	N	R	T	D	T
F	R	O	N	T	S	I	D	E	E	A	T	F	S	I
Q	J	H	V	D	G	L	I	D	E	X	K	A	H	C
S	L	I	A	R	D	N	A	H	S	M	N	S	I	R
Z	I	G	F	A	L	L	I	N	G	L	E	A	F	N

ACROBATIC
BIG AIR
BINDINGS
DESCENT
DOWNHILL
EDGE
FALLING LEAF
FREESTYLE
FRONTSIDE
GLIDE
GLOVES
GOGGLES
HALFPIPE
HANDRAILS
JIBBING
LINK TURNS
MOUNTAIN
OLLIE
SKATING
SLALOM
SLIDES
STEP-IN
SURFING

Word Search 143 KEEP INFORMED

C	O	N	F	I	R	M	A	T	I	O	N	M	E	O
D	P	U	I	E	C	N	E	D	I	V	E	N	L	F
E	I	I	K	N	B	R	D	W	P	T	I	M	F	N
D	G	R	E	H	S	O	E	R	X	L	T	A	S	I
N	P	D	T	N	S	I	O	P	E	J	T	T	L	N
U	N	I	E	S	L	P	D	P	O	A	I	E	I	T
O	Z	O	I	L	A	I	I	E	H	R	A	R	A	E
R	E	E	I	G	W	P	G	W	S	R	T	I	T	L
G	R	R	A	T	O	O	S	H	N	T	Y	A	E	L
K	J	N	O	O	I	T	N	I	T	B	O	L	D	I
C	D	J	C	C	A	D	N	K	B	E	W	R	M	G
A	A	S	H	H	S	G	U	N	R	K	N	Y	Y	E
B	T	S	W	G	T	C	U	R	T	S	N	I	N	N
C	A	M	E	S	S	A	G	E	E	N	E	W	S	C
H	Q	E	T	A	N	I	M	U	L	L	I	X	Q	E

BACKGROUND
CONFIRMATION
DATA
DETAILS
DIRT
DOSSIER
ENLIGHTEN
ERUDITION
EVIDENCE
HASH
ILLUMINATE
INFO
INSIDE STORY
INSTRUCT
INTELLIGENCE
KNOWLEDGE
LEARNING
MATERIAL
MESSAGE
NEWS
PIPELINE
PROPAGANDA
REPORT
SCOOP
SCORE
WHAT'S WHAT

W	E	V	I	T	O	M	O	C	O	L	F	B	Y	D
Y	A	W	L	I	A	R	X	E	N	G	I	N	E	R
F	G	G	L	A	O	C	P	O	E	V	A	S	N	E
I	R	I	O	I	Z	I	J	C	B	W	S	P	M	L
R	A	N	N	N	P	A	S	H	O	E	R	Y	I	I
E	T	S	O	T	S	P	M	D	P	A	K	Z	H	O
B	E	N	S	F	M	S	O	V	S	I	C	O	C	B
O	S	A	U	U	Z	O	K	T	R	D	S	H	M	T
X	L	E	P	X	R	T	E	R	R	V	E	T	E	S
B	L	I	I	N	H	A	S	E	A	Y	L	G	O	S
W	O	O	D	G	M	Z	T	C	C	P	T	Z	K	N
M	D	C	I	C	O	A	A	K	W	A	S	N	A	J
J	I	E	A	C	W	B	C	J	G	S	I	R	E	Z
E	R	R	R	B	R	A	K	E	S	F	H	U	E	M
F	I	N	S	U	L	A	T	I	O	N	W	B	R	G

ASH
BLASTPIPE
BOGIES
BOILER
BRAKES
BURN
CHIMNEY
COACHES
COAL
DOOR
ENGINE
FIREBOX
FREIGHT
FUEL
GRATES
INSULATION
LOCOMOTIVE
PISTON
PUMPS
RAILWAY
SMOKEBOX
SMOKE STACK
SPARKS
STEAM CAR
WAGONS
WATER
WHISTLES
WOOD

Word Search 145 ____ YELLOW SUBMARINE MOVIE

I	T	S	A	L	L	T	O	O	M	U	C	H	K	Y
W	O	N	R	E	H	T	E	G	O	T	L	L	A	B
Q	O	Q	V	T	A	E	R	T	E	R	U	F	U	G
B	S	S	I	I	V	X	R	K	O	R	O	J	K	I
W	H	E	N	I	M	S	I	X	T	Y	F	O	U	R
V	D	A	S	A	K	T	Z	G	U	C	S	L	N	R
V	N	O	T	E	N	D	E	F	J	E	I	A	I	O
L	A	F	R	Z	L	I	R	L	U	V	M	E	A	N
Q	L	H	U	P	S	T	M	T	E	E	A	B	K	A
C	R	O	M	N	P	K	A	A	R	S	U	U	S	E
V	E	L	E	Q	Z	T	C	E	T	B	C	O	G	L
M	P	E	N	G	S	T	H	A	B	I	A	O	K	E
Z	P	S	T	R	I	W	I	L	T	E	O	W	P	S
Z	E	B	S	O	O	P	E	R	K	T	H	N	W	E
V	P	F	N	N	N	K	X	C	W	I	A	T	A	S

ALL TOGETHER NOW
ANIMATION
ATTACK
BUBBLE
ELEANOR RIGBY
INSTRUMENTS
IT'S ALL TOO MUCH
LIVE ACTION
NOWHERE MAN
PEPPERLAND
RETREAT
SEA OF HOLES
STATUES
TELESCOPE
THE BEATLES
WHEN I'M SIXTY-FOUR

A	X	O	O	X	C	T	R	O	M	B	O	N	E	F
F	L	C	Q	I	F	O	L	O	C	C	I	P	Q	S
Q	Z	O	S	L	A	C	I	S	S	A	L	C	Y	M
I	S	U	I	E	T	U	L	F	T	M	O	M	T	D
Z	M	P	V	V	S	T	A	G	E	R	P	B	N	S
C	O	R	A	N	G	L	A	I	S	H	I	I	O	C
K	C	E	O	S	M	C	S	V	O	M	W	N	O	E
A	C	L	L	X	I	O	O	N	O	D	H	N	G	V
T	L	G	L	X	B	N	Y	N	O	R	C	A	I	S
S	A	N	E	S	A	D	A	O	H	E	G	V	R	B
E	R	A	C	I	S	U	W	P	R	A	A	A	S	B
L	I	I	P	V	S	C	P	T	M	L	N	M	N	P
E	N	R	Y	B	O	T	O	M	D	I	U	D	Z	C
C	E	T	K	S	O	O	F	I	K	R	T	F	E	Z
C	T	P	G	B	N	R	C	A	D	E	N	Z	A	L

BASSOON
BRAHMS
CADENZA
CELESTA
CELLO
CLARINET
CLASSICAL
CONCERTO
CONDUCTOR
CORANGLAIS
DRUMS
FLUTE
HANDEL
MUSIC
OBOE
ORGAN
PIANO
PICCOLO
STAGE
STRINGS
SYMPHONY
TIMPANI
TRIANGLE
TROMBONE
VIOLA
VIVALDI
WOODWIND

Word Search 147 ____________ PRECIOUS

E	Y	P	T	N	E	H	D	S	A	A	K	W	E	U
T	E	A	L	U	S	C	A	R	C	A	N	E	T	F
I	U	N	I	I	R	P	A	E	E	C	A	R	Y	A
N	S	P	L	O	P	Q	E	L	Z	D	G	G	M	D
A	S	O	R	H	B	R	U	R	K	N	A	E	D	E
G	P	P	I	E	G	B	M	O	P	C	T	J	L	G
R	I	R	A	I	C	R	H	M	I	H	E	O	A	F
O	E	D	L	N	B	I	R	C	Y	S	S	N	R	B
M	S	I	I	M	G	L	O	S	O	A	E	J	E	R
N	F	W	A	T	K	L	T	U	R	O	W	A	M	A
E	L	G	N	A	B	I	E	I	S	Y	R	F	E	C
T	E	L	K	N	A	A	G	J	Y	G	M	B	W	E
C	E	N	O	T	S	N	O	O	M	T	G	J	Q	L
G	A	J	N	Y	G	T	S	P	A	R	K	L	E	E
Y	M	S	U	R	H	I	N	E	S	T	O	N	E	T

AGATE
AMETHYST
ANKLET
BANGLE
BEADS
BRACELET
BRILLIANT
BROOCH
CARCANET
EMERALD
FILIGREE
GIRASOLE
JADE
MOONSTONE
MORGANITE
NECKLACE
POLISH
PRECIOUS
RHINESTONE
SAPPHIRE
SPANGLE
SPARKLE
TURQUOISE

S	H	N	Q	N	J	E	N	N	A	T	N	D	A	P
T	T	H	G	M	E	O	A	A	T	O	C	E	O	Q
T	K	N	Y	I	I	W	R	N	M	J	E	T	N	I
P	E	S	U	S	A	A	H	I	C	V	V	C	A	C
R	I	X	A	O	B	P	N	A	I	A	D	E	T	A
E	M	V	A	R	C	A	M	T	V	I	A	L	S	N
S	N	R	A	S	T	E	A	A	C	E	G	E	I	D
I	O	B	F	I	R	V	R	K	C	D	N	Z	N	I
D	E	M	O	C	R	A	C	Y	A	B	R	O	A	D
E	L	N	W	E	Q	H	N	S	O	Z	L	F	H	A
N	N	H	S	K	E	F	Q	G	W	V	I	A	G	T
T	Q	N	L	N	S	L	D	U	E	E	Z	P	F	E
F	O	R	E	I	G	N	A	I	D	R	H	A	A	Y
C	M	Y	S	G	W	L	L	A	B	E	S	A	B	T
N	O	I	T	A	R	T	S	I	N	I	M	D	A	R

ADMINISTRATION
AFGHANISTAN
BARBARA
BASEBALL
CAMPAIGN
CANDIDATE
CONSERVATIVE
DEMOCRACY ABROAD
DICK CHENEY
ELECTED
FOREIGN AID
INVASION
JENNA
NEW HAVEN
NOMINATION
PRESIDENT
RECOUNTS
TEXAS RANGERS

Word Search **149** ________ UN WORDS

U	Y	P	J	Q	A	U	D	L	N	Z	G	Y	G	S
N	U	K	I	X	N	E	L	O	O	P	K	K	N	Y
L	N	K	R	S	T	E	I	Q	G	R	R	Q	I	V
I	T	U	U	I	W	N	U	N	R	E	A	L	E	P
T	O	N	N	N	U	D	C	U	N	A	R	M	E	D
J	G	U	U	Z	U	D	E	V	O	L	N	U	S	U
E	S	R	E	V	I	N	U	N	T	L	N	I	N	N
E	R	U	S	N	U	P	L	U	E	E	Z	S	U	N
K	U	I	W	U	N	N	N	A	D	P	T	F	U	O
C	N	L	A	F	N	I	T	A	U	R	O	H	F	T
O	D	L	T	F	S	K	L	H	U	Q	L	N	V	I
L	I	O	B	O	N	N	E	N	I	N	E	T	U	C
B	D	R	N	A	U	U	G	M	A	N	D	N	X	E
N	U	N	C	O	M	M	O	N	P	P	K	E	U	D
U	Q	U	N	M	O	T	I	V	A	T	E	D	R	Q

UNARMED
UNBLOCK
UNCOMMON
UNDER
UNDID
UNEQUAL
UNFAIR
UNION
UNISON
UNITED
UNIVERSE
UNKEMPT
UNLADEN
UNLIT
UNLOVED
UNMOTIVATED
UNNOTICED
UNOPENED
UNREAL
UNROLL
UNSEEING
UNSTRUNG
UNSUNG
UNSURE
UNTHINK
UNTO
UNWELL
UNZIP

C	B	E	V	I	O	L	E	T	I	E	C	Y	T	D
Y	R	X	C	W	R	M	B	D	L	B	R	P	L	L
P	P	E	A	R	E	V	R	P	R	A	I	O	E	C
N	E	R	A	W	P	P	R	I	M	C	B	E	T	H
O	D	B	H	M	A	U	G	I	T	Y	H	R	S	A
M	Y	V	A	N	P	H	R	U	Y	W	U	H	A	R
E	B	U	F	F	T	P	R	N	O	E	F	C	P	C
L	K	N	I	P	S	E	G	Y	R	T	L	O	D	O
L	T	I	N	T	K	R	R	T	A	B	I	L	D	A
P	I	Q	Q	Y	E	S	E	E	N	E	L	N	O	L
R	O	C	L	E	T	T	Y	D	G	M	D	A	G	W
S	E	I	N	Q	C	J	N	V	E	I	Q	A	C	E
X	M	B	U	E	H	N	W	O	R	B	E	X	H	K
E	R	X	M	B	P	W	O	D	A	H	S	B	T	S
V	G	E	R	A	S	E	C	O	N	D	A	R	Y	C

AMBER
BEIGE
BLACK
BOLD
BRIGHT
BROWN
BUFF
CHARCOAL
CREAM
DRAW
GREEN
GREY
LEMON
LIME
NAVY
OCHRE
ORANGE
PAPER
PASTEL
PENCIL
PICTURE
PINK
PRIMARY
PURPLE
SECONDARY
SHADE
SHADOW
SKETCH
TINGE
TINT
VIOLET
WHEEL
YELLOW

Word Search 151 HUMAN BODY

K	V	F	B	P	C	N	S	R	E	G	N	I	F	Z
H	T	E	E	T	A	E	M	H	E	A	R	T	P	Y
B	O	N	E	S	P	E	C	F	Y	S	R	A	A	S
B	C	A	R	T	I	L	A	G	E	Y	N	N	N	R
L	G	P	W	N	L	P	R	N	L	I	G	K	C	E
T	C	H	I	A	L	S	O	E	T	A	A	L	R	D
I	S	H	N	Q	A	M	A	E	D	R	N	E	E	L
S	C	E	T	Q	R	B	R	P	T	D	S	D	A	U
S	T	V	H	O	I	L	K	E	P	K	A	T	S	O
E	N	O	H	C	E	P	R	N	E	E	H	L	L	H
L	E	Z	M	G	S	I	B	L	E	U	N	B	B	S
C	R	H	S	A	E	I	E	I	M	E	G	D	E	J
S	V	I	T	S	C	T	D	B	M	R	S	N	I	Z
U	E	Z	V	T	O	H	S	H	U	V	O	Y	O	X
M	S	S	E	N	I	T	S	E	T	N	I	I	S	T

ANKLE
APPENDIX
ARTERIES
BLADDER
BONES
CAPILLARIES
CARTILAGE
CHEST
CHIN
FINGERS
GLANDS
HEART
HORMONES
INTESTINES
KNEES
LEGS
MUSCLES
NERVES
PANCREAS
RETINA
SHOULDERS
SKELETON
SPLEEN
STOMACH
TEETH
THUMBS
TONGUE

Word Search 152

Y	B	B	A	L	L	Y	C	O	N	N	E	L	L	T
W	J	U	A	F	V	D	S	H	F	P	B	A	Y	E
F	I	A	R	K	U	X	U	T	C	E	K	C	J	E
L	K	D	N	N	N	E	E	N	R	I	H	A	C	L
E	E	U	E	P	C	H	N	N	G	N	J	A	Z	F
C	O	N	W	C	Y	H	S	U	I	U	R	P	N	K
K	R	K	H	A	I	T	U	U	A	A	A	I	O	C
E	B	E	W	I	E	N	Q	R	G	E	R	I	Z	O
N	N	R	S	I	O	I	J	O	C	E	T	I	R	R
S	E	R	N	V	H	Z	N	O	W	H	U	A	V	E
T	T	O	M	C	H	E	R	H	B	E	N	S	H	B
E	T	N	N	W	S	V	C	T	W	E	T	P	L	C
I	A	I	R	E	T	S	S	L	T	T	K	G	Z	S
N	B	X	U	D	A	V	A	L	S	I	T	A	R	B
H	I	M	E	J	I	V	A	N	G	O	R	O	D	C

ALTENA
ARAGONESE
BALLYCONNELL
BATTENBROEK
BERNSTEIN
BOJNICE
BRATISLAVA
BURNCHURCH
CAHIR
CHATEAUNEUF
DUNGUAIRE
DUNKERRON
FLECKENSTEIN
HIMEJI
INCHIQUIN
IVANGOROD
ROCKFLEET
SCHWERIN

Word Search 153 ____ CHINESE CALENDAR

P	I	G	S	U	H	T	N	A	M	S	O	T	V	H
P	J	C	N	D	O	G	S	S	O	T	O	R	E	L
A	M	U	L	P	N	T	C	T	E	L	R	E	C	U
I	H	I	G	O	N	T	D	I	Q	E	C	T	I	N
B	F	V	G	E	I	L	P	B	U	F	H	N	T	I
F	Z	A	M	G	H	B	E	B	I	W	I	I	S	S
E	R	E	E	S	E	T	I	A	N	L	D	W	L	O
D	L	R	M	F	X	L	R	R	O	Z	A	Y	O	L
E	A	P	R	I	C	O	T	A	X	L	T	T	S	A
C	H	R	Y	S	A	N	T	H	E	M	U	M	E	R
W	W	G	N	S	Q	H	H	G	S	V	W	N	I	M
N	A	A	U	X	H	C	S	H	O	X	L	V	A	Z
Z	K	T	K	A	A	Y	E	K	S	A	K	E	E	R
E	O	C	E	E	V	E	M	O	S	O	T	H	W	Y
L	D	W	P	R	P	A	R	E	T	S	O	O	R	T

APRICOT
CHRYSANTHEMUM
DOG
DRAGON
EARTH
ELEMENTS
EQUINOX
GOAT
GUAVA
LOTUS
LUNAR
LUNISOLAR
METAL
ORCHID
OSMANTHUS
PEACH
PIG
PLUM
RABBIT
ROOSTER
SHEEP
SNAKE
SOLSTICE
TIGER
TWELVE
WATER
WINTER

O	O	J	L	K	N	A	B	R	A	S	I	O	N	D
X	V	A	S	R	C	B	M	E	O	S	W	O	O	N
T	E	E	E	Y	I	I	J	S	X	E	A	Q	Y	L
H	C	T	R	O	M	C	S	R	Y	H	I	J	T	N
E	N	A	P	C	A	P	F	U	G	C	D	I	W	P
I	N	S	R	T	O	T	A	N	E	A	E	O	P	K
S	Y	I	G	A	E	M	C	T	N	D	G	K	C	X
I	E	U	C	I	T	H	E	M	H	Z	P	A	I	N
N	T	R	D	I	A	A	A	E	U	Y	P	I	L	L
U	A	I	U	R	D	E	C	A	N	E	K	O	W	F
S	X	B	T	M	E	E	T	L	C	A	K	S	A	M
I	E	R	O	S	S	C	M	I	T	N	U	I	T	P
T	N	O	I	T	I	D	N	O	C	U	N	S	S	I
I	E	G	A	D	N	A	B	G	S	T	C	F	E	N
S	P	W	B	R	O	N	C	H	I	T	I	S	R	A

ABRASION
ACHE
AIDE
BANDAGE
BIOPSY
BRONCHITIS
CATARACT
CATGUT
CHART
CONDITION
CUT
DIET
FAINT
GOWN
HEAL
ICE PACK
ILL
INTERN
MASK
MEAL
MEDICINE
NAUSEA
NURSE
OVERCOME
OXYGEN
PAIN
REST
SEDATE
SERUM
SICK
SINUSITIS
SORE
SWOON
SYMPATHY

Word Search 155 SALLY FIELD

N	U	N	G	N	I	Y	L	F	E	H	T	M	S	E
V	T	E	L	E	V	I	S	I	O	N	R	S	S	X
G	I	R	E	C	U	D	O	R	P	S	E	A	C	P
O	J	Q	Z	Y	M	W	Q	J	D	R	I	R	A	M
L	P	V	L	L	E	N	F	O	T	L	C	R	L	U
D	Y	U	S	U	A	N	U	C	O	M	E	V	I	G
E	U	U	N	J	F	B	A	N	V	K	S	N	F	T
N	Q	Z	Z	C	T	I	G	R	L	W	O	M	O	S
G	D	K	J	F	H	A	T	A	O	R	I	T	R	E
L	N	Z	I	Y	M	L	W	U	M	F	O	Z	N	R
O	E	R	T	L	U	A	I	A	A	U	E	B	I	R
B	E	B	E	D	R	T	R	N	G	E	S	Y	A	O
E	H	E	F	O	P	A	K	K	E	J	B	O	E	F
S	T	B	N	T	E	S	I	N	G	I	N	G	N	J
S	K	I	S	S	M	E	G	O	O	D	B	Y	E	S

ACTRESS
BEAUTIFUL
CALIFORNIA
EYE FOR AN EYE
FORREST GUMP
GOLDEN GLOBES
KISS ME GOODBYE
MRS DOUBTFIRE
NORA WALKER
NORMA RAE
PRODUCER
PUNCHLINE
SINGING
SONS
STEEL MAGNOLIAS
TELEVISION
THE END
THE FLYING NUN

B	A	E	B	Y	D	G	R	Y	X	A	E	G	H	S
L	E	S	U	F	E	A	R	B	T	B	S	R	E	E
A	V	L	H	L	T	G	U	A	A	W	S	J	A	H
C	S	P	I	S	B	R	N	B	M	K	C	C	R	C
K	M	I	P	E	L	H	U	I	C	M	A	Y	T	T
R	S	O	L	E	V	O	A	U	G	L	Y	N	O	I
O	P	L	S	K	Y	E	R	J	I	N	A	N	F	W
S	J	Q	S	T	W	T	E	F	I	G	I	O	S	E
E	U	U	O	T	S	O	O	U	H	L	W	S	T	H
E	L	G	L	N	P	R	O	M	A	Y	E	I	O	T
T	I	P	O	F	N	I	W	D	E	E	C	C	N	T
O	U	O	D	I	N	O	I	S	I	V	E	L	E	T
W	M	C	A	E	S	A	R	S	P	A	L	A	C	E
O	U	T	R	A	G	E	O	U	S	E	R	N	I	N
M	O	V	I	E	S	S	T	R	U	H	E	V	O	L

BELIEVE
BLACK ROSE
BURLESQUE
CAESAR'S PALACE
CALIFORNIA
ELIJAH BLUE
GRAMMY
HEART OF STONE
I GOT YOU BABE
LOVE HURTS
MOONSTRUCK
MOVIES
OUTRAGEOUS
POP STAR
SILKWOOD
SINGING
SOLO
SONNY
TELEVISION
THE WITCHES

Word Search 157 ____________ ALIAS-TV

R	K	R	E	N	A	O	L	S	N	I	V	R	A	O
E	S	P	I	O	N	A	G	E	S	N	A	X	V	K
N	N	O	I	S	I	V	E	L	E	T	U	K	W	V
Q	R	A	M	B	A	L	D	I	D	E	V	I	C	E
T	U	A	T	S	E	J	S	P	T	L	L	L	V	R
S	S	O	C	X	E	E	A	A	U	L	S	A	D	E
E	L	I	X	T	C	I	G	C	T	I	R	U	R	D
P	P	D	R	R	I	I	R	I	K	G	O	R	P	A
S	Q	I	E	O	T	O	P	E	A	E	T	E	U	N
C	Q	T	S	S	R	P	N	M	S	N	I	N	E	I
I	P	F	E	O	I	R	A	Y	C	C	A	R	S	R
F	R	V	V	N	D	R	E	I	P	E	R	E	A	I
I	N	V	V	U	D	E	A	T	J	S	T	E	C	B
I	P	W	O	T	S	I	R	B	Y	E	N	D	Y	S
M	I	C	H	A	E	L	V	A	U	G	H	N	B	D

ACTION
ARVIN SLOANE
CASE
CIA
DRAMA
EPISODE
ESPIONAGE
INTELLIGENCE
INVESTIGATE
IRINA DEREVKO
JACK
LAUREN REED
MICHAEL VAUGHN
PLOT
RAMBALDI DEVICE
SCI-FI
SECRET
SERIES
SPY
SYDNEY BRISTOW
TELEVISION
TERRORIST
TRAITORS
WILL TIPPIN

S	F	L	L	I	H	S	N	O	I	P	M	A	H	C
T	F	R	S	A	N	J	A	N	I	T	O	D	Q	O
A	Z	D	E	Q	D	Z	V	T	A	R	A	N	T	O
M	T	T	D	D	A	E	S	L	A	R	O	C	C	O
F	C	L	I	D	E	O	T	G	N	T	I	A	O	L
O	C	H	A	L	G	R	O	V	E	F	I	E	L	D
R	T	C	I	M	R	T	I	V	J	T	U	I	D	A
D	R	T	J	C	A	E	I	C	R	P	H	Z	H	C
B	U	C	E	R	K	M	T	A	K	R	O	D	A	I
R	O	N	A	R	Y	A	F	S	E	S	N	T	R	N
I	C	S	K	R	O	A	M	K	U	A	B	O	B	R
D	N	C	I	I	L	P	N	A	L	A	K	U	O	E
G	I	D	Z	G	R	U	A	T	U	F	L	L	R	U
E	G	N	A	Z	B	K	U	C	C	G	X	O	M	G
E	A	R	Q	N	I	J	Y	B	E	S	A	N	G	L

AGINCOURT
ANZIO
AUSTERLITZ
BULGE
BUNKER HILL
CAPORETTO
CHALGROVE FIELD
CHAMPIONS HILL
CHICKAMAUGA
COLD HARBOR
CORAL SEA
DUNKIRK
FREDERICKSBURG
GUERNICA
JENA
JUTLAND
MALTA
NASEBY
SAN JANITO
SARATOGA
STAMFORD BRIDGE
TARANTO
TOULON
TRAFALGAR
VIMY RIDGE

Word Search 159 BREAD SHOP

R	M	P	U	M	P	K	I	N	S	E	E	D	S	H
T	S	D	E	E	S	Y	P	P	O	P	P	M	R	J
S	S	S	A	O	N	I	U	Q	X	D	D	U	E	Y
C	E	A	A	D	Y	P	N	O	Y	E	P	L	T	U
L	R	S	E	N	N	H	B	N	C	U	E	T	T	G
Y	O	K	A	Y	D	D	T	I	I	C	L	I	U	J
Q	A	A	X	M	A	W	L	L	Q	U	S	G	B	L
B	L	U	V	E	E	S	I	S	A	O	M	R	A	A
U	I	Q	R	E	T	R	P	C	U	E	V	A	A	E
O	N	B	W	A	S	R	F	R	H	D	H	I	M	M
L	S	D	P	M	E	O	D	Z	X	K	A	N	V	E
I	E	L	E	A	D	O	U	G	H	H	O	O	K	L
V	E	I	D	O	U	B	A	N	A	N	A	A	C	O
E	D	F	N	G	E	D	A	M	E	M	O	H	O	H
S	A	X	H	Y	L	N	E	H	D	N	D	Y	C	W

BAKED
BANANA
BREADBOX
BUTTER
DOUGH HOOK
HEALTHY
HOMEMADE
LINSEED
LOAVES
MULTI-GRAIN
OLIVES
POPPY SEEDS
PUMPKIN SEEDS
QUINOA
SANDWICH
SESAME
SLICED
SOURDOUGH
SPREAD
STAPLE
WHOLEMEAL
YEAST

S	E	P	T	E	M	B	E	R	I	J	S	W	E	R
A	G	F	E	Q	Y	P	I	A	A	Z	G	A	M	S
L	P	N	D	G	B	N	I	N	U	G	U	L	Z	D
D	U	R	J	K	H	B	U	G	N	T	R	T	N	E
J	J	V	I	B	Z	A	J	C	L	Q	E	N	E	C
Y	U	P	D	L	R	R	E	R	R	U	K	B	X	E
R	L	X	V	Y	F	N	O	R	E	A	Z	T	T	M
A	Y	H	V	Y	X	H	E	B	E	E	F	I	P	B
U	P	X	A	U	G	U	S	T	U	B	O	G	T	E
R	E	B	M	E	V	O	N	C	J	O	O	S	J	R
B	P	W	P	A	V	M	V	Y	K	R	L	T	H	U
E	X	T	F	T	X	M	P	Q	E	S	H	C	C	H
F	Y	K	Y	I	K	M	Y	P	E	A	R	Y	G	O
C	I	G	J	P	J	H	A	Y	Y	A	D	C	X	U
A	A	F	X	Z	C	E	W	Y	M	O	H	C	K	N

APRIL
AUGUST
DECEMBER
FEBRUARY

JANUARY
JULY
JUNE
MARCH

MAY
NOVEMBER
OCTOBER
SEPTEMBER

Word Search 161 RESPECTABLE

D	E	S	E	R	V	I	N	G	P	Y	E	Y	N	C
C	R	E	D	I	T	S	R	F	L	L	R	L	A	O
C	R	E	T	C	E	R	I	D	B	K	E	A	T	M
F	O	Z	M	Z	C	N	L	A	F	V	S	C	U	E
Y	M	M	G	B	E	F	I	T	Z	G	P	I	R	L
D	L	M	M	R	X	L	Q	U	H	I	E	H	A	Y
I	T	D	M	E	E	T	S	E	N	S	C	T	L	T
S	E	C	O	R	N	P	H	N	M	E	T	E	N	A
T	C	T	E	O	S	D	U	A	M	P	G	O	D	T
I	I	H	R	R	G	I	N	T	R	K	T	M	N	Y
N	V	G	T	T	R	N	N	A	E	N	I	E	T	I
C	R	I	O	R	E	O	I	C	U	R	C	S	H	L
T	E	R	H	R	U	S	C	O	E	E	U	Z	P	N
A	S	P	S	C	E	E	C	E	D	R	Z	C	K	H
A	L	U	F	H	T	I	A	F	T	M	E	R	I	T

ADMIRE
BEFIT
COMELY
COMMEND
CORRECT
COUNT ON
CREDIT
DECENT
DESERVING
DIRECT
DISTINCT
ESTEEM
ETHICAL
FAITHFUL
GENUINE
GOODLY
MANNERS
MERIT
NATURAL
PRAISE
RELIABLE
REPUTE
RESPECT
SERVICE
SINCERE
TRUE
TRUSTY
UPRIGHT

L	W	O	B	D	O	O	W	Y	L	L	O	H	V	R
A	Z	M	A	W	F	X	V	E	I	L	W	S	E	U
R	R	V	R	R	N	I	B	A	E	O	U	I	N	B
T	K	E	W	B	K	U	R	R	R	Q	T	T	I	B
C	N	V	M	I	A	G	D	K	I	T	A	I	L	E
R	I	A	N	A	Y	D	I	G	O	D	K	R	A	R
I	G	G	I	L	T	N	G	C	E	S	G	B	R	C
T	H	T	O	R	G	N	R	E	E	N	F	E	P	H
I	T	H	T	C	B	E	O	L	R	A	U	N	R	I
C	U	D	L	H	V	F	G	I	O	R	T	D	M	C
M	E	A	N	I	N	G	O	F	L	I	F	E	G	K
V	S	X	G	B	I	G	R	E	D	B	O	O	K	E
S	C	I	R	B	X	T	O	C	F	Z	P	P	G	N
L	U	M	B	E	R	J	A	C	K	I	S	A	D	E
L	S	U	C	R	I	C	G	N	I	Y	L	F	G	V

ART CRITIC
BIG RED BOOK
BIGGLES
BRITISH
FLYING CIRCUS
HOLLYWOOD BOWL
HOLY GRAIL
KNIGHT
LIFE OF BRIAN
LION TAMER
LUIGI VERCOTTI
LUMBERJACK
MEANING OF LIFE
MR BADGER
MR PRALINE
NUDGE NUDGE
OXBRIDGE
RUBBER CHICKEN
VIKING
WORKING CLASS

Word Search 163 ______ GREYHOUNDS

Y	N	A	P	M	O	C	A	D	V	D	D	G	J	R
F	L	E	X	I	B	L	E	S	P	I	N	E	E	G
K	M	S	G	R	W	V	H	R	I	I	G	D	E	P
L	B	U	E	O	I	I	C	S	N	X	N	N	E	I
W	A	E	S	L	D	D	T	N	I	E	T	D	F	N
M	D	Y	G	C	N	W	U	H	L	L	I	B	L	T
M	G	N	O	E	U	R	O	S	E	G	G	J	B	E
U	O	A	B	L	O	L	Q	H	R	R	M	N	K	L
L	T	S	R	I	H	F	A	E	S	S	S	K	E	L
I	H	P	I	C	T	F	E	R	V	L	G	V	R	I
T	G	R	N	O	H	C	O	U	R	S	I	N	G	G
P	I	I	D	D	G	L	U	F	R	E	W	O	P	E
F	L	N	L	N	I	B	V	C	T	I	V	P	V	N
Y	S	T	E	T	S	H	U	N	T	I	N	G	E	T
T	A	O	C	H	T	O	O	M	S	T	Y	W	U	T

BREED
BRINDLE
COMPANY
COURSING
DOCILE
ENGLISH
FLEXIBLE SPINE
GENTLE
HUNTING
INTELLIGENT
LONG-LIVED
LOYAL
MUSCULAR
PEDIGREE
PET
POWERFUL
RUNNING
SHOW DOG
SIGHTHOUND
SLENDER
SLIGHT
SMOOTH COAT
SPRINT
WITHERS

GARDEN FOUNTAIN — Word Search 164

F	N	C	E	X	E	T	A	R	O	B	A	L	E	S
C	I	G	S	T	O	N	E	F	R	O	G	S	N	L
L	H	L	I	P	M	U	P	G	W	C	O	E	S	H
L	K	A	T	S	E	L	B	R	A	M	D	P	G	W
A	S	L	N	E	E	X	G	S	E	R	L	U	E	S
F	I	F	A	N	R	D	C	U	A	A	O	R	V	C
R	N	F	X	N	E	A	C	G	S	R	U	I	S	U
E	K	L	A	Q	D	L	N	H	T	S	L	D	T	L
T	C	O	G	E	A	S	V	I	S	L	S	N	E	P
A	G	W	R	S	G	U	C	E	A	E	Z	O	J	T
W	D	L	S	O	K	M	R	A	L	T	I	P	Y	U
F	B	I	A	R	O	P	R	P	P	X	N	J	Y	R
N	C	H	O	S	I	D	P	Z	T	E	S	U	F	E
N	I	A	R	D	S	I	N	F	I	S	H	H	O	G
J	F	I	L	T	R	A	T	I	O	N	V	U	X	F

CASCADE
CHANNEL
CLASSIC
DESIGN
DRAIN
ELABORATE
FILTER
FILTRATION
FISH
FLOW
FOUNTAIN
FROGS
GARDENS
GLASS
INDOOR
JETS
LANDSCAPE
MARBLE
POND
PRESSURE
PUMP
RIPPLES
SCULPTURE
SINK
SPLASH
STONE
SUMP
TROUGH
VILLA
WATERFALL

Word Search 165

TYPEFACES

L	A	U	S	A	C	M	O	D	N	I	M	B	U	S
P	C	E	R	X	T	A	R	C	O	T	S	I	R	A
L	L	B	K	M	I	C	R	O	G	R	A	M	M	A
N	M	D	N	O	M	A	R	A	G	B	E	M	B	O
U	J	S	V	O	R	D	C	J	L	R	L	U	R	F
J	E	B	G	U	O	I	R	S	A	U	C	R	S	I
F	M	U	T	N	T	L	N	E	I	S	J	C	Y	R
R	R	U	R	E	I	A	L	N	R	H	C	A	S	E
R	F	A	V	O	S	D	V	A	A	S	E	L	U	S
M	E	L	N	C	S	E	B	T	B	C	N	I	R	S
C	E	I	I	K	R	T	E	E	A	R	T	B	Y	N
H	J	M	R	D	L	K	I	S	W	I	U	R	P	A
W	O	N	A	U	T	I	L	L	O	P	R	I	A	S
C	G	N	J	O	O	O	N	A	E	T	Y	Z	P	Q
B	A	K	N	X	N	C	L	E	A	R	V	I	E	W

ARIAL
ARISTOCRAT
BALLOON
BEMBO
BRUSH SCRIPT
CALIBRI
CASLON
CENTURY
CLEARVIEW
COMIC SANS
COURIER
DOM CASUAL
EUROSTILE
FRANKLIN
FUTURA
GARAMOND
HELVETICA
KORINNA
MICROGRAMMA
NIMBUS
PAPYRUS
SANS SERIF
TEKTON
UMBRA
VERDANA
WEBDINGS

A	N	T	H	R	O	P	O	S	O	P	H	Y	D	S
E	N	I	C	I	D	E	M	E	S	E	N	I	H	C
P	Y	Y	P	A	R	E	H	T	O	L	O	R	P	H
T	H	A	L	A	S	S	O	T	H	E	R	A	P	Y
H	T	N	I	M	W	C	A	H	G	X	R	H	E	P
E	A	G	O	V	Y	O	P	V	Y	O	W	R	L	N
L	P	N	T	I	Y	O	M	H	M	U	U	Y	H	O
L	O	I	E	I	T	B	T	A	A	S	E	A	C	B
E	E	T	N	X	P	A	T	H	S	N	V	J	R	I
R	T	S	X	D	P	H	T	E	E	S	I	L	G	R
W	S	A	R	O	E	S	R	I	I	R	A	U	T	T
O	O	F	E	R	A	P	W	K	D	X	A	G	T	H
R	M	M	A	Z	U	R	I	B	L	E	J	P	E	I
K	O	P	H	C	Z	E	F	C	D	Z	M	N	Y	N
H	Y	B	A	S	R	Z	Y	R	N	L	H	G	X	G

ACUPRESSURE
ANTHROPOSOPHY
AROMATHERAPY
CHINESE MEDICINE
FASTING
HELLERWORK
HOMEOPATHY
HYPNOBIRTHING
MASSAGE
MEDITATION
MYOTHERAPY
OSTEOPATHY
PROLOTHERAPY
REIKI
TAO YIN
THALASSOTHERAPY
TUI NA

Word Search 167 ICE WORDS

C	A	E	E	S	E	R	T	N	E	C	I	P	E	E
S	I	E	C	C	P	R	A	C	T	I	C	E	C	Q
R	K	N	C	I	I	I	H	B	B	K	M	I	U	G
S	B	A	D	I	T	V	C	X	L	L	F	A	F	A
P	T	I	E	I	V	S	E	E	C	F	D	B	A	R
O	N	S	C	B	C	E	I	D	O	R	T	X	W	T
T	E	A	I	E	V	E	R	M	I	C	E	L	L	I
A	C	C	D	N	P	Z	S	C	R	C	P	V	V	F
R	I	R	U	E	V	S	E	E	I	A	N	F	X	I
E	F	I	J	F	L	P	T	R	C	V	G	H	A	C
C	I	F	E	I	S	I	P	E	Y	R	B	Q	G	E
I	N	I	R	C	C	A	C	D	O	J	J	N	H	Q
R	U	C	P	E	C	I	T	N	E	R	P	P	A	R
T	M	E	N	N	E	C	I	R	O	U	Q	I	L	S
V	Y	T	Z	T	S	O	L	S	T	I	C	E	Q	O

APPRENTICE
ARMISTICE
ARTIFICE
BENEFICENT
BICEPS
CAPRICE
CREVICE
DEVICE
EPICENTRE
ICECAP
INDICES
LIQUORICE
MUNIFICENT
OFFICE
PRACTICE
PREJUDICE
QUADRICEPS
RETICENT
SACRIFICE
SOLSTICE
SPICE
TRICERATOPS
VERMICELLI

Word Search 168

A	R	S	W	A	T	E	R	F	A	L	L	C	I	Q
U	H	K	E	E	M	G	S	I	L	L	O	I	J	Z
S	T	I	N	J	L	E	V	L	C	V	D	A	L	E
T	E	R	S	L	D	A	E	I	E	E	J	U	N	Z
W	E	F	L	B	I	F	D	R	L	E	A	O	T	V
I	R	A	E	E	N	T	D	R	C	L	T	G	A	S
C	C	R	Y	O	N	A	T	R	E	S	A	L	E	S
K	G	E	D	S	L	O	O	O	D	D	L	G	U	O
H	C	R	A	E	E	F	T	N	N	E	D	L	E	F
F	A	P	L	C	N	V	A	S	Y	D	O	I	S	S
B	G	Q	E	O	G	S	A	S	Y	L	A	E	N	T
G	O	R	D	A	L	E	S	C	A	R	G	L	Y	E
B	X	S	W	B	A	I	N	B	R	I	D	G	E	N
R	I	E	P	R	O	H	T	R	A	G	S	Y	A	A
K	N	O	T	G	N	I	S	S	A	R	G	V	J	J

AUSTWICK
AYSGARTH
BAINBRIDGE
BARDON FELL
CAVES
COVERDALE
DRY STONE
GORDALE SCAR
GRASSINGTON
ICE AGE
JANET'S FOSS
KISDON FORCE
LITTONDALE
NIDDERDALE
REETH
SANDSTONE
SEDBERGH
SKIRFARE
THORPE
VALLEYS
VILLAGES
WATERFALL
WENSLEYDALE

Word Search 169 ____ MUNICH FESTIVAL

H	O	F	B	R	A	U	M	U	N	C	H	E	N	W
P	L	E	G	A	S	U	A	S	E	D	I	R	U	C
F	Y	P	A	R	A	D	E	S	M	W	O	R	I	G
K	E	N	U	U	C	S	S	C	S	G	S	S	L	R
R	N	S	A	S	K	T	V	H	L	T	U	P	E	I
P	T	E	T	M	S	F	B	O	L	M	D	U	Z	L
V	W	L	K	I	R	A	W	T	A	I	A	I	T	L
I	X	A	R	C	V	E	S	T	H	G	I	L	E	E
G	G	U	N	A	I	A	G	E	Y	B	N	M	R	D
N	O	K	R	N	L	H	L	N	R	A	S	X	P	F
T	S	I	Z	D	U	T	C	H	E	R	N	E	M	I
U	A	E	N	H	K	A	U	A	W	R	O	T	X	S
N	L	R	I	I	A	J	L	M	E	E	G	K	C	H
T	I	N	V	W	T	T	G	E	R	L	A	D	H	K
D	B	R	E	W	E	R	S	L	B	S	W	J	T	P

ANNUAL
BARRELS
BAVARIAN
BREWERS
BREWERY HALLS
CHICKEN
DIRNDL
FESTIVAL
GERMANY
GRILLED FISH
HATS
HOFBRAU MUNCHEN
LIGHTS
MUSIC
PARADES
PRETZEL
RIDES
SAUSAGE
SCHOTTENHAMEL
TOURISTS
WAGONS
WEINZELT
WIESN
WURSTL

T	N	E	M	N	I	A	T	R	E	T	N	E	R	D
Y	Z	N	K	Z	F	P	P	T	B	Q	W	P	I	E
S	K	A	M	A	U	D	A	V	W	G	T	I	K	T
Y	N	J	M	S	A	L	S	F	D	U	K	N	E	A
H	I	I	S	N	O	S	S	H	E	E	R	T	E	R
S	L	E	C	C	E	P	T	N	S	S	R	H	S	O
Y	R	I	O	L	H	R	H	A	Q	T	Y	E	D	C
D	N	H	D	M	J	A	E	O	E	S	S	T	N	E
G	C	N	N	I	H	S	P	V	T	R	Y	A	A	D
G	A	M	P	V	I	O	A	P	O	O	T	I	E	L
C	A	P	T	N	L	T	R	R	Y	P	S	L	D	V
D	E	M	G	S	P	E	C	I	A	L	E	X	I	O
O	S	I	E	S	T	N	E	S	E	R	P	E	H	E
D	N	V	J	S	B	A	L	L	O	O	N	S	L	Y
G	I	M	U	S	I	C	A	L	C	H	A	I	R	S

BALLOONS
CANDLES
CHOCOLATE
DANCING
DECORATED
DRESS-UP
ENTERTAINMENT
FAMILY
GAMES
GUESTS
HAPPY
HIDE AND SEEK
MUSICAL CHAIRS
PASS THE PARCEL
PHOTOS
PIN THE TAIL
PRESENTS
SINGING
SLEEPOVER
SPECIAL
TREATS

A	R	C	H	I	T	E	C	T	U	R	E	C	O	Y
I	R	H	J	H	W	D	P	Z	N	O	I	F	O	F
W	W	P	T	D	O	V	I	V	S	S	K	P	P	I
N	B	O	N	M	S	N	E	B	U	R	E	O	M	I
Z	L	A	E	I	O	R	E	M	B	R	A	N	D	T
C	R	S	S	C	D	I	D	L	A	V	I	V	H	R
G	S	T	E	H	C	K	G	O	P	U	L	E	N	T
N	C	N	S	E	O	I	G	G	A	V	A	R	A	C
I	U	E	A	L	P	B	R	T	E	F	M	R	Z	E
T	L	M	C	A	Q	A	E	O	E	R	K	H	M	E
N	P	E	R	N	E	J	L	R	T	X	R	O	V	U
I	T	V	I	G	R	L	G	A	N	E	T	O	V	R
A	U	O	A	E	G	O	Y	B	C	I	H	U	C	O
P	R	M	T	L	I	H	F	T	O	E	N	R	R	P
Q	E	Y	S	O	Z	J	Z	N	S	Q	S	I	U	E

ARCHITECTURE
BERNINI
CARAVAGGIO
CLOTH
CORREGGIO
DOMES
EMOTION
EUROPE
GRAND
MICHELANGELO
MOVEMENT
MUSIC
OPERA
OPULENT
PAINTING
PALACES
REMBRANDT
RHETORIC
RUBENS
SCULPTURE
STAIRCASES
STYLE
TEXTURE
VIVALDI

C	C	R	O	S	S	G	R	A	I	N	X	X	K	Q
U	A	X	V	O	Y	P	L	E	F	T	R	H	V	Y
P	O	Z	L	N	D	P	O	O	B	E	F	F	E	Z
D	Z	C	W	Q	F	A	V	H	C	A	I	Y	V	C
N	Z	N	L	E	H	L	D	F	C	G	A	N	A	O
I	M	C	N	O	L	E	K	I	U	V	S	N	R	N
L	U	C	S	I	S	Q	D	R	R	X	T	N	T	V
B	E	E	R	X	M	E	E	M	J	V	I	G	I	E
K	B	D	X	Z	H	P	G	E	E	A	C	E	H	R
B	O	L	S	T	E	R	V	R	R	V	F	R	C	S
L	I	A	T	H	S	I	F	G	A	L	R	U	R	I
O	X	B	D	B	N	I	D	I	I	I	A	A	A	O
E	C	A	F	F	U	N	S	T	I	Q	N	D	C	N
L	E	G	J	S	E	R	C	C	R	O	O	K	Z	Z
B	X	J	W	B	N	H	L	L	E	S	I	H	C	E

ADZE
ARCHITRAVE
BEAD
BLIND
BOLSTER
BURL
CARVE
CHISEL
CHOPS
CLOSE GRAIN
CONVERSION
CROOK
CROSS GRAIN
CUP
DADO
DRILL
END GRAIN
FACE
FENCE
FIGURE
FIRMER
FISHTAIL
FLITCH

Word Search 173 ____ THINGS WITH ING

A	D	V	A	N	C	I	N	G	K	J	V	G	W	O
S	H	X	G	S	G	H	K	M	C	K	G	D	O	G
O	I	N	I	N	G	O	T	J	L	D	R	P	R	G
S	I	N	G	E	R	N	Q	Q	O	H	E	G	K	G
M	Y	B	G	N	G	B	I	R	C	E	D	N	I	N
A	L	J	E	I	I	N	K	D	K	H	V	I	N	I
R	G	J	A	I	N	N	I	I	I	G	Q	M	G	L
K	N	B	K	M	N	G	N	H	N	T	J	M	M	G
E	I	U	A	D	N	G	U	I	G	G	D	E	E	N
T	W	V	A	I	R	R	I	N	R	I	D	L	C	I
I	O	O	L	E	R	K	I	B	N	G	U	O	Q	M
N	N	S	G	Y	S	G	N	I	S	U	M	A	M	Q
G	K	N	I	E	N	T	N	O	W	N	I	N	G	C
D	I	N	E	A	T	G	G	N	I	X	A	W	E	Y
Z	G	N	B	Q	G	N	I	Y	O	L	P	M	E	U

ADVANCING
AMUSING
BANGING
BEING
CLOCKING
DINING
EMPLOYING
GRINNING
HINGE
HURRYING
INGOT
KINGDOM
KNOWINGLY
LEMMING
MARKETING
MINGLING
OWNING
PEEKING
SINGER
SINGING
SKIING
SLING
TIDINGS
WAXING
WORKING
ZINGER

K	E	H	Y	N	O	L	O	C	C	T	A	B	F	T
F	A	Q	O	X	S	K	E	I	S	R	N	R	V	N
O	N	N	D	N	N	E	T	V	E	A	E	H	B	A
R	N	E	W	U	E	I	N	T	I	N	N	P	U	E
M	E	S	R	E	S	Y	P	O	Z	S	R	D	L	R
I	T	T	E	A	A	O	P	Y	M	E	A	E	L	I
C	N	J	R	R	N	V	M	O	D	O	F	V	A	F
I	A	A	M	E	A	T	E	A	T	E	R	A	N	T
D	P	Y	M	M	D	E	T	R	N	A	W	E	T	I
A	A	Y	R	R	G	O	X	Z	A	D	N	H	H	O
E	H	V	O	A	R	D	A	L	N	N	I	T	Y	P
G	R	N	R	Y	N	O	S	I	O	P	T	B	E	D
G	E	O	L	A	E	N	T	I	T	Y	K	L	L	A
S	F	U	A	I	L	I	N	S	E	C	T	R	J	E
W	A	I	S	T	N	A	H	O	A	R	A	H	P	H

ANTENNAE
ARMY
BULL ANT
COLONY
DRONES
EGGS
ENTITY
FIRE ANT
FORAGE
FORMICIDAE
FRENZY
HEAD
HONEYPOT ANT
HYMENOPTERA
INSECT
INVASIVE
LARVA
MANDIBLE
MEAT EATER ANT
NEST
PARASITIC
PHARAOH ANT
PHEROMONES
POISON
PREDATORY
SAND
TRUNK
WAIST
WEAVER ANT

Word Search 175 ____________ OLYMPICS

P	T	L	U	A	V	E	L	O	P	G	B	R	W	C
P	T	R	A	C	K	L	A	W	G	Z	G	R	V	O
H	I	G	H	J	U	M	P	Y	N	N	E	B	J	U
L	O	N	G	J	U	M	P	O	I	S	R	Y	D	N
M	U	F	N	H	G	J	Y	X	T	O	J	Y	S	T
J	H	K	N	N	J	N	O	L	N	T	L	E	E	R
J	A	I	I	O	O	B	I	Z	I	E	B	K	L	I
E	R	V	G	M	H	N	E	N	R	N	S	C	D	E
S	I	E	E	H	G	T	A	X	P	N	H	O	R	S
D	E	R	V	L	E	T	A	I	S	I	O	H	U	M
T	E	N	D	L	I	S	V	R	Y	S	T	S	H	E
C	B	L	A	O	I	N	T	J	A	O	P	E	E	D
U	O	S	N	L	B	S	H	V	F	M	U	N	F	A
G	R	S	G	N	I	M	M	I	W	S	T	T	W	L
W	E	I	G	H	T	L	I	F	T	I	N	G	H	S

BOXING
BRONZE
CEREMONY
COUNTRIES
DIVING
GOLD
HIGHEST
HIGH JUMP
HOCKEY
HURDLES
JAVELIN
LANES
LONG JUMP
MARATHON
MEDALS
NATIONS
POLE VAULT
SHOT PUT
SILVER
SPRINTING
SWIMMING
TENNIS
TRACK
WALK
WEIGHTLIFTING
WRESTLING
YOUTH

S	M	E	E	T	T	H	E	F	O	C	K	E	R	S
Y	D	E	M	O	C	F	O	G	N	I	K	E	H	T
T	N	G	D	S	G	N	A	C	I	R	E	M	A	O
P	H	M	O	Y	H	Q	U	S	D	F	Q	M	E	F
T	H	E	G	O	O	D	S	H	E	P	H	E	R	D
F	S	P	D	B	D	E	N	L	O	R	Y	A	E	T
A	Y	G	W	E	L	F	A	I	A	N	N	N	V	H
R	Y	C	N	W	E	T	E	G	N	K	H	S	I	E
D	L	R	A	I	X	R	I	L	E	O	U	T	R	M
K	H	L	J	N	N	N	H	N	L	B	R	R	D	I
C	F	J	O	A	G	E	S	U	L	A	K	E	I	S
A	J	R	F	B	S	T	K	U	N	H	S	E	X	S
B	B	E	U	E	E	L	H	A	S	T	E	T	A	I
A	H	L	W	I	M	S	X	X	W	O	E	A	T	O
T	L	C	N	C	A	P	E	F	E	A	R	R	T	N

A BRONX TALE
AMERICAN
AWAKENINGS
BACKDRAFT
CAPE FEAR
FLAWLESS
FRANKENSTEIN
GOODFELLAS
HEAT
MEAN STREET
MEET THE FOCKERS
RAGING BULL
RONIN
TAXI DRIVER
THE DEER HUNTER
THE FAN
THE GOOD SHEPHERD
THE KING OF COMEDY
THE MISSION

Word Search 177 ___ AT THE HAIRDRESSER

B	M	O	C	B	B	K	S	T	R	S	B	M	Q	X
Y	B	N	V	R	D	H	E	T	T	I	U	E	J	H
Z	L	F	O	U	G	M	T	R	R	L	N	W	R	C
Z	O	W	X	N	Z	I	E	M	L	A	H	S	O	A
I	N	D	O	E	N	A	I	E	E	D	I	A	E	E
R	D	L	L	T	K	R	T	L	E	G	E	G	N	L
F	E	R	Y	T	T	R	E	R	L	S	N	K	H	B
L	U	T	U	E	A	I	E	W	A	S	H	I	R	T
C	J	A	O	O	D	Y	K	E	E	T	L	O	R	J
K	O	P	O	N	A	N	T	B	A	V	H	I	R	F
E	S	E	P	L	I	F	I	N	E	D	A	I	O	T
E	H	R	M	J	G	H	K	D	L	A	B	W	C	F
L	A	E	A	X	W	U	T	N	R	U	B	U	A	K
S	P	D	H	Y	S	S	O	L	G	B	R	U	S	H
A	E	N	S	C	O	N	D	I	T	I	O	N	H	E

AUBURN
BALD
BLEACH
BLONDE
BROWN
BRUNETTE
BRUSH
COMB
CONDITION
CURL
FINE
FOILS
FRINGE
FRIZZY
GLOSSY
LAYERED
LONG
MULLET
RINSE
SHAMPOO
SHAPE
SHORT
SLEEK
STRAIGHT
STREAK
TAPERED
TEASE
THICK
THIN
TINT
TRIM
WASH
WAVE

C	H	O	M	P	B	R	E	A	K	B	R	E	A	D
N	S	Z	W	O	I	H	C	N	U	M	L	E	R	W
H	O	C	L	L	Z	G	Z	D	D	Z	L	A	O	Y
M	W	S	T	I	E	K	O	I	Z	B	I	L	J	J
F	Z	T	H	S	Y	H	G	U	B	N	F	F	B	K
W	X	B	L	H	E	I	G	I	T	D	P	E	B	C
O	O	I	F	O	N	G	N	T	O	P	R	A	K	O
E	R	L	V	F	B	M	I	W	E	A	U	S	I	E
F	N	I	L	F	A	I	N	D	L	R	L	T	M	M
G	H	G	G	A	T	U	R	Z	B	T	S	P	B	U
S	R	H	O	U	W	I	Q	T	B	A	Q	Y	I	S
R	E	A	O	R	N	S	E	P	O	K	P	D	B	N
W	R	T	Z	K	G	I	W	S	G	E	U	W	E	O
T	A	S	T	E	D	E	L	A	P	U	P	N	I	C
E	C	N	W	O	D	W	O	H	C	H	C	N	U	L

BOLT
BREAK BREAD
CHOMP
CHOW DOWN
CONSUME
DIET
DIGEST
DIG IN
DRAIN
DRINK
EAT OUT
ENGORGE
FEAST
GOBBLE
GRAZE
GUZZLE
IMBIBE
LAP UP
LUNCH
MUNCH
NIBBLE
NOSH
PARTAKE
PIG OUT
POLISH OFF
QUAFF
SLURP
SWALLOW
SWIG
TASTE
WOLF DOWN

Word Search 179 ____________ D NAMES

N	D	L	L	E	R	R	A	D	E	N	Z	I	L	K
A	D	I	E	U	W	N	E	N	Y	A	W	D	Q	Q
C	Y	U	A	I	Y	E	C	A	D	U	J	R	D	D
N	A	O	I	N	N	W	Q	U	A	Y	A	A	E	D
U	N	Y	J	C	A	A	S	O	L	M	M	Z	A	D
D	A	L	L	A	S	T	D	L	G	I	X	P	G	E
F	A	I	M	E	I	O	O	A	E	E	H	Q	K	S
Y	D	I	K	N	R	D	D	N	R	N	I	N	C	I
C	T	A	S	Y	L	E	U	D	E	I	C	D	I	R
R	R	S	N	Y	D	I	D	I	E	R	U	Z	R	E
D	E	N	U	E	O	X	L	B	A	N	A	S	R	E
U	A	T	N	D	N	I	E	C	A	W	I	P	E	E
D	T	V	X	E	A	D	Y	G	E	X	N	S	D	V
T	E	L	M	E	L	N	Y	R	R	A	D	A	E	A
R	Y	S	Q	Z	D	E	D	O	U	G	L	A	S	D

DACEY
DAGMAR
DAISY
DALLAS
DAMIEN
DANIEL
DANNY
DAPHNE
DARIUS
DARRELL
DARRYN
DAVE
DENISE
DENVER
DENZIL
DERRICK
DESIREE
DEXTER
DIANA
DIDIER
DIEGO
DIXIE
DOLLY
DONALD
DOUGLAS
DRAKE
DREW
DUDLEY
DUNCAN
DUSTIN
DUSTY
DWAYNE
DYAN

R	L	A	I	C	R	E	M	M	O	C	K	C	J	Z
S	C	H	A	N	N	E	L	L	E	T	T	E	R	S
S	T	B	L	I	M	P	O	A	P	O	S	T	E	R
N	D	R	B	W	Q	N	D	U	Z	Q	M	R	L	G
G	R	O	E	R	X	V	W	I	T	U	Y	P	E	P
I	A	A	X	E	E	D	G	N	P	D	R	D	T	R
S	C	H	L	R	T	N	R	F	N	O	O	M	T	O
Y	W	G	T	U	I	D	R	O	P	U	E	O	E	J
B	O	S	N	N	D	O	O	R	O	S	J	D	R	E
B	H	R	R	I	I	O	I	M	S	F	E	S	I	C
O	S	A	E	R	D	E	M	A	F	T	T	R	N	T
L	W	D	E	N	T	R	G	T	N	P	Y	O	G	E
K	H	T	S	O	N	E	A	I	L	O	P	M	P	D
K	N	D	R	Q	H	A	A	O	Y	T	E	F	A	S
I	R	E	P	A	P	P	B	N	H	S	C	K	J	C

ADVERTS
BANNER
BLIMP
CHANNEL LETTERS
COMMERCIAL
HOARDING
INFORMATION
INTERIOR
LETTERING
LOBBY SIGNS
MESSAGE
MODULAR
OUTDOOR
PAINTED
PAPER
POSTER
PROJECTED
PROPRIETOR
ROOFTOP
SAFETY
SHOWCARD
STOP
STREET
WARNING

Word Search 181 ______ BODIES OF WATER

L	N	A	S	N	B	A	L	T	I	C	C	D	S	A
A	A	E	O	A	E	S	D	E	R	A	Z	E	X	N
K	G	S	U	I	W	D	F	R	R	W	A	N	A	B
E	I	N	T	G	R	J	A	I	I	O	Q	E	O	A
S	H	A	H	B	Y	A	B	F	F	A	C	O	E	O
U	C	I	C	R	A	B	T	O	O	O	T	S	X	C
P	I	B	H	N	E	Y	K	N	C	F	G	I	I	T
E	M	A	I	A	C	H	O	I	O	N	L	F	C	K
R	E	R	N	V	O	O	T	F	I	E	I	U	I	Y
I	K	A	A	T	X	C	X	R	B	C	K	L	G	B
O	A	X	S	K	R	W	E	F	A	I	C	A	J	X
R	L	K	E	A	N	B	M	P	G	I	S	C	L	L
S	T	R	A	I	T	O	F	M	A	L	A	C	C	A
H	A	M	E	D	I	T	E	R	R	A	N	E	A	N
D	N	A	L	I	A	H	T	F	O	F	L	U	G	Y

ADRIATIC
ARABIAN SEA
ARCTIC OCEAN
BALTIC
BAY OF BISCAY
BERING SEA
CARIBBEAN
GULF OF ADEN
GULF OF THAILAND
LAKE MICHIGAN
LAKE ONTARIO
LAKE SUPERIOR
MEDITERRANEAN
PACIFIC
RED SEA
SEA OF OKHOTSK
SOUTH CHINA SEA
STRAIT OF MALACCA

A	I	N	R	O	F	I	L	A	C	L	E	T	O	H
S	C	A	R	B	O	R	O	U	G	H	F	A	I	R
P	T	I	S	R	A	E	L	I	T	E	S	L	C	O
A	E	T	O	I	R	O	T	O	G	I	O	S	A	N
N	U	D	E	A	R	Y	V	J	C	N	A	R	R	A
I	Q	C	G	S	E	A	A	Y	D	C	E	S	I	I
S	I	W	H	R	U	M	P	O	R	V	D	A	B	L
H	B	J	H	I	A	H	N	E	I	A	A	Z	B	A
H	M	A	P	I	N	C	C	R	V	I	R	B	E	T
A	A	B	C	N	A	A	E	A	G	O	Q	L	A	I
R	Z	A	C	L	M	E	G	L	S	M	L	U	N	O
L	O	B	L	A	N	D	X	R	A	S	J	I	B	G
E	M	I	N	A	X	D	F	H	O	N	A	O	L	N
M	N	A	W	D	V	E	X	F	A	V	D	M	U	A
G	P	S	R	Z	H	R	L	P	O	C	E	S	E	T

CARIBBEAN BLUE
CHINA GROVE
GRACELANDS
HOTEL CALIFORNIA
I GO TO RIO
I LOVE PARIS
ISRAELITES
JAMAICA
LONDON CALLING
MASSACHUSETTS
MOZAMBIQUE
PANAMA
SCARBOROUGH FAIR
SPANISH HARLEM
SWANEE RIVER
TANGO ITALIANO

Word Search 183 ____________ SCI-FI TV

Y	L	L	Y	D	G	Y	M	L	H	B	F	O	S	N
M	R	Q	A	U	O	N	T	I	I	R	F	R	Y	I
O	K	A	V	N	Y	C	G	N	A	A	E	C	O	G
O	A	K	U	C	D	H	T	W	V	G	I	B	B	H
N	C	L	H	T	L	O	D	O	N	R	I	F	E	T
B	Q	K	L	A	C	D	F	E	R	O	B	Q	N	S
A	R	Z	N	I	E	N	V	T	N	W	V	K	I	T
S	V	D	O	R	Z	A	A	I	H	S	H	X	R	A
E	E	O	B	E	E	D	C	S	S	E	N	O	A	L
R	X	W	E	H	S	S	O	K	Y	I	L	O	M	K
T	H	E	T	W	I	L	I	G	H	T	Z	O	N	E
A	A	J	C	X	X	W	F	U	W	Y	F	S	S	R
I	N	S	P	E	C	T	O	R	G	A	D	G	E	T
E	R	U	T	U	F	E	H	T	O	T	K	C	A	B
S	E	P	A	E	H	T	F	O	T	E	N	A	L	P

BACK TO THE FUTURE
BIONIC SIX
DOCTOR WHO
GODZILLA
HIGHLANDER
INSPECTOR GADGET
LAND OF THE LOST
MARINE BOY
MOONBASE
NIGHT STALKER
PLANET OF THE APES
RED DWARF
SANCTUARY
THE AVENGERS
THE TWILIGHT ZONE

Word Search 184

P	B	O	Q	E	R	U	C	E	S	E	Q	S	C	H
Y	H	H	D	A	N	C	E	H	M	S	B	A	H	P
N	A	E	L	C	S	U	U	O	C	K	V	F	I	V
G	X	W	L	G	X	Y	H	T	L	A	O	E	L	V
A	C	T	I	V	I	T	I	E	S	E	E	F	D	D
R	T	R	E	V	O	H	C	T	A	W	A	T	R	I
G	S	B	S	D	A	U	G	H	T	E	R	R	E	S
M	N	Q	V	I	N	P	F	H	O	U	S	E	N	C
A	E	I	I	A	R	T	A	R	T	Q	V	U	E	I
M	V	Q	R	O	C	P	R	N	I	L	K	P	D	P
A	I	C	V	P	P	A	E	O	O	E	I	O	R	L
R	R	I	O	Y	S	T	T	O	P	C	N	S	A	I
D	D	S	W	A	N	F	H	I	K	S	T	D	G	N
E	V	J	U	O	C	C	F	U	O	E	A	C	S	E
A	F	L	C	D	S	H	P	O	P	N	U	R	S	X

ACTIVITIES
CHILDREN
CLEAN
COACH
CONTENT
DANCE
DAUGHTER
DISCIPLINE
DRAMA
DRIVE
FRIENDS
GARDEN
HAPPY
HOME
HOUSE
LEARN
OFFSPRING
PETS
PICK UP
PROVIDE
SAFE
SCHOOL
SECURE
SPORT
TEACH
VACATION
WATCH OVER

Word Search 185 POETIC TOUCH

A	B	R	K	N	M	C	F	D	F	R	A	M	E	C
B	H	E	E	I	A	E	I	S	E	H	G	U	H	O
J	R	D	R	R	P	C	C	K	K	E	N	L	T	L
H	U	O	R	A	K	L	R	N	B	M	L	Q	E	E
A	E	O	W	I	M	A	I	A	E	E	Q	S	O	R
C	L	W	N	N	P	A	R	N	V	R	Y	E	G	I
L	Y	S	E	S	I	R	L	R	G	S	W	V	M	D
U	O	F	K	T	E	N	A	E	P	O	P	A	I	G
N	U	R	H	T	T	M	G	S	D	N	Y	R	L	E
L	P	O	T	L	A	R	K	I	N	Y	B	G	T	Q
M	A	S	E	F	I	E	L	D	A	I	L	K	O	K
C	P	T	O	P	L	K	A	H	N	L	K	A	N	B
A	D	U	R	E	N	D	K	C	F	E	J	P	N	Y
I	G	N	A	M	E	J	T	E	B	T	W	O	O	I
V	T	R	Y	L	O	N	G	F	E	L	L	O	W	H

AUDEN
BARRETT
BETJEMAN
BROWNING
CARROLL
COLERIDGE
DELAMARE
DICKINSON
DYLAN
EMERSON
FRAME
FROST
GOETHE
GRAVES
HEWETT
HOPKINS
HUGHES
KHAYYAM
KIPLING
LARKIN
LAWRENCE
LEAR
LONGFELLOW
MARVELL
MASEFIELD
MILTON
NERUDA
OWEN
PARKER
POPE
ROETHKE

Word Search 186

V	A	D	Y	A	S	I	S	L	A	N	D	B	N	C
U	M	L	I	X	Y	S	E	T	A	R	I	M	E	O
S	W	D	M	D	A	T	E	S	B	K	G	Z	C	S
M	U	S	S	A	F	A	H	B	R	I	D	G	E	M
S	P	K	T	X	Q	C	A	A	C	A	G	G	S	O
S	P	E	R	R	A	T	M	C	N	L	R	X	T	P
K	M	R	R	S	O	D	A	N	O	A	F	R	N	O
R	U	R	T	S	N	F	A	A	N	Z	A	E	E	L
A	N	L	O	A	I	H	N	D	F	S	O	S	M	I
P	E	O	L	T	D	A	M	I	E	O	N	O	U	T
S	P	E	V	L	S	O	N	H	A	J	R	R	N	A
Z	H	J	E	O	S	D	C	G	W	L	N	T	O	N
T	X	B	B	Q	T	A	N	P	U	J	A	S	M	U
B	E	A	U	T	E	E	F	A	H	L	E	B	E	J
J	O	E	I	B	I	W	L	I	S	J	F	P	O	N

AL AIN FORTS
AL MAQTAA FORT
BEACHES
CASTLES
COSMOPOLITAN
DATES
EMIRATES
GRAND MOSQUE
JEBEL DHANNA
JEBEL HAFEET
MONUMENTS
MUSSAFAH BRIDGE
NOVOTEL
PARKS
PERSIAN GULF
RESORTS
SANDSTORMS
THE LANDMARK
YAS ISLAND

Word Search 187 ______ NAMES FOR PETS

M	P	Y	B	Y	S	Y	L	V	E	S	T	E	R	S
R	U	F	L	U	P	A	Y	R	A	S	T	U	S	T
R	E	F	M	A	S	E	S	L	K	H	F	Z	H	M
Z	C	A	F	E	H	T	A	S	L	L	S	O	F	E
V	H	M	G	I	I	S	E	C	Y	O	M	A	Z	I
S	B	G	M	X	N	N	A	R	H	A	H	M	T	S
S	R	Y	D	D	U	B	N	S	S	E	O	Q	E	S
E	U	P	H	O	E	B	E	I	N	P	S	H	I	E
B	T	I	D	A	I	S	Y	I	M	C	S	A	D	B
A	U	Y	A	T	H	N	M	O	H	R	L	T	A	M
S	S	B	N	M	R	S	P	A	U	L	E	K	S	I
T	T	L	G	I	A	O	R	S	E	S	K	H	L	L
I	H	E	U	J	Z	L	T	B	S	P	I	N	A	L
A	C	H	S	E	I	Y	Y	K	R	A	P	S	Z	Y
N	C	S	S	E	C	N	I	R	P	Y	S	S	I	M

ANGUS
BELLA
BESSIE
BRUTUS
BUDDY
BUSTER
CHARLIE
DAISY
HOLLY
JASMINE
MILLY
MINNIE
MISSY
MUFFIN
PEACHES
PHOEBE
POMPOM
PRINCESS
RASTUS
RUSTY
SADIE
SASHA
SASSY
SEBASTIAN
SHAMUS
SHELBY
SPARKY
SPIKE
SYLVESTER
TASHA
TESS
THOMAS

E	J	O	H	A	N	N	E	S	B	U	R	G	H	W
A	L	O	E	S	K	U	T	N	A	B	E	I	T	N
D	H	D	X	Q	W	V	L	U	I	G	G	P	W	J
G	N	N	O	F	A	H	A	M	B	H	C	O	O	A
A	I	A	C	E	Z	M	P	A	V	A	T	K	F	X
R	A	L	L	P	U	A	R	E	L	E	O	R	E	X
D	A	R	R	A	L	D	L	W	P	R	I	B	K	C
E	I	E	W	A	U	D	N	A	B	K	I	C	A	A
N	R	H	K	T	N	Q	C	A	A	H	I	V	I	B
R	O	T	A	X	A	H	A	A	L	L	I	C	E	Z
O	T	U	R	S	T	C	N	M	B	B	A	S	H	R
U	E	S	O	D	A	S	P	U	A	C	U	S	H	A
T	R	F	O	Q	L	K	P	R	A	N	P	R	L	O
E	P	A	C	N	R	E	T	S	E	W	R	G	C	S
W	H	I	T	E	R	H	I	N	O	P	T	T	Y	S

ACACIA
AFRIKAANS
ALOES
BANTU
BAOBAB
BHISHO
CAPE TOWN
GARDEN ROUTE
HIGHVELD
IMPALA
JOHANNESBURG
KAROO
KWAZULU-NATAL
NAMAQUALAND
PRETORIA
REPUBLIC
SCRUBLAND
SUTHERLAND
VAAL RIVER
WESTERN CAPE
WHITE RHINO

Word Search 189 ____ FIGURE SKATING

P	Q	P	R	E	V	E	L	I	T	N	A	C	G	D
M	L	E	G	W	R	A	P	H	R	P	C	V	T	S
U	M	I	K	K	A	M	M	U	M	A	H	C	O	N
J	Y	G	H	I	U	S	T	N	O	I	O	W	O	I
W	U	P	N	J	L	K	T	P	R	R	C	S	F	P
O	J	E	Z	I	W	L	E	S	S	S	T	D	H	S
H	V	T	S	A	C	N	I	E	K	K	A	K	C	K
C	U	V	H	S	S	N	N	A	K	A	W	Y	T	C
L	M	O	M	T	A	I	A	O	N	T	T	A	A	A
A	M	B	R	B	V	H	N	D	T	I	U	E	C	B
S	L	O	A	E	O	H	C	Q	E	N	R	U	S	Y
I	K	U	P	G	A	L	J	M	H	G	N	J	T	A
E	E	A	X	F	L	Y	I	N	G	S	P	I	N	L
R	R	H	N	I	P	S	N	U	G	T	O	H	S	X
G	X	R	U	S	S	I	A	N	S	P	L	I	T	N

CANTILEVER
CATCH-FOOT
CHASSE
CHOCTAW TURN
DANCING
FLYING SPIN
GRAPEVINES
INA BAUER
KILLIAN
LAYBACK SPIN
LEG WRAP
LUTZ JUMP
MOHAWK TURN
OPEN STROKE
PAIR SKATING
RUSSIAN SPLIT
SALCHOW JUMP
SHOTGUN SPIN
SKATES

R	Q	U	E	S	O	F	R	E	S	C	O	X	G	G
S	E	L	O	T	A	A	L	L	I	T	R	O	T	U
A	O	Z	I	R	O	H	C	S	I	B	R	M	J	A
L	A	M	K	C	O	O	O	R	S	D	E	A	E	C
L	N	Q	L	V	I	T	R	A	I	N	L	L	N	A
I	I	C	D	M	I	U	D	T	U	A	Q	E	I	M
D	C	X	H	U	B	A	A	D	P	Z	O	T	M	O
A	E	S	Q	O	L	S	O	E	N	T	L	T	U	L
S	C	A	V	I	C	A	N	I	E	E	R	U	C	E
E	T	L	H	A	M	O	G	E	R	C	O	C	E	O
U	Z	C	D	S	N	E	L	N	K	O	K	E	S	Y
Q	N	B	J	U	E	I	X	A	O	C	L	P	E	M
E	B	L	G	X	W	P	L	I	T	R	I	I	E	A
C	I	L	A	N	T	R	O	L	C	E	O	H	H	O
A	C	O	Y	O	T	A	S	S	A	O	J	M	C	C

ATOLE
AZTEC
BURRITO
CECINA
CHEESE
CHICKEN
CHILORIO
CHOCOLATE
CHORIZO
CILANTRO
COYOTAS
CUMIN
ENCHILADAS
GORDITAS
GUACAMOLE
JALAPENO
LETTUCE
MENUDO
MEXICO
MORONGA
QUESADILLAS
QUESO FRESCO
SOPES
TAQUITOS
TORTILLA
VANILLA

Word Search 191 MOROCCO

J	U	F	W	G	M	A	R	R	A	K	E	S	H	E
S	L	S	E	N	H	S	Z	T	N	A	P	L	U	R
C	Y	N	S	D	O	C	R	O	E	A	T	Q	W	M
K	R	I	T	A	N	R	R	E	S	T	S	L	O	O
E	I	A	E	Z	C	F	T	T	P	O	O	U	A	S
N	D	L	R	F	F	N	R	H	M	I	N	U	E	S
I	A	P	N	A	L	I	A	R	A	T	N	G	A	G
T	G	L	S	W	E	Q	A	L	A	F	N	U	D	N
R	A	A	A	S	S	B	T	I	B	A	R	Y	J	A
A	B	T	H	Q	A	E	N	A	R	A	C	I	V	S
F	A	S	A	T	Y	O	M	O	X	N	S	B	C	M
B	Z	A	R	F	U	E	N	I	G	A	T	A	B	A
A	A	O	A	S	G	R	E	E	N	T	E	A	C	S
Z	A	C	S	M	A	L	S	I	I	N	N	U	S	B
S	R	M	E	D	I	T	E	R	R	A	N	E	A	N

AGADIR
ATLAS
BAZAAR
CASABLANCA
COASTAL PLAINS
GREEN TEA
JUNIPERS
KENITRA
MARRAKESH
MEDITERRANEAN
MOSQUE
MOUNTAINOUS
NORTH AFRICA
ORANGES
PASTRIES
RABAT
SAFFRON
SUNNI ISLAM
TAGINE
TETOUAN
WESTERN SAHARA

X	F	B	I	T	A	L	I	A	N	W	H	I	T	E
A	X	Z	I	N	R	S	A	L	V	N	O	R	C	I
N	F	E	S	O	R	M	I	R	P	T	N	A	I	G
Q	U	T	A	W	D	O	H	S	G	A	G	A	M	D
S	Z	S	R	Z	K	I	E	M	W	E	N	F	P	W
T	L	P	G	C	T	Y	E	O	Z	N	I	H	S	A
N	C	A	A	N	E	E	R	S	U	B	T	L	K	R
E	F	L	R	H	I	S	C	A	E	G	I	D	Y	F
M	B	M	S	I	T	N	L	S	A	L	U	C	S	S
T	R	I	H	E	P	Z	E	W	U	X	R	V	C	U
N	R	F	M	F	D	S	W	V	Q	N	F	V	R	N
I	N	F	L	O	R	E	S	C	E	N	C	E	A	S
O	T	N	E	E	U	Q	N	O	M	E	L	T	P	P
S	U	N	B	U	T	T	E	R	R	Y	I	O	E	O
O	A	U	Y	C	E	W	G	L	A	T	B	X	R	T

ANNUAL
AZTEC SUN
BIODIESEL
BLACK OIL
DWARF SUNSPOT
EVENING SUN
FRUITING
GIANT PRIMROSE
INFLORESCENCE
IRISH EYES
ITALIAN WHITE
LARGE
LEMON QUEEN
OINTMENTS
SKYSCRAPER
SPIRALS
STEM
SUNBUTTER
TITAN

Word Search 193 ______ SPARKLING WINE

B	J	K	E	S	I	O	N	E	P	M	A	H	C	E
O	E	E	V	U	C	M	O	S	C	A	T	O	L	H
T	O	D	F	R	A	N	C	E	D	G	K	Y	B	R
T	F	C	K	N	I	P	Q	D	L	B	T	B	L	I
L	Y	F	A	F	T	F	G	A	Z	S	H	N	A	O
E	F	F	E	R	V	E	S	C	E	N	C	E	N	N
E	G	M	F	P	B	S	N	I	P	S	E	M	C	E
D	N	U	I	L	E	O	Y	I	L	T	J	O	D	D
S	M	G	E	S	D	T	N	Z	N	M	Y	U	E	C
E	E	N	A	N	S	O	I	A	Z	G	H	S	B	N
L	D	T	A	P	T	H	Z	L	T	I	T	S	L	A
B	V	H	U	N	M	Z	I	H	L	E	F	E	A	L
B	C	M	O	L	I	A	X	R	P	A	D	U	N	B
U	C	I	I	R	F	N	H	H	A	A	N	X	C	L
B	R	K	F	A	Z	V	T	C	X	Z	H	T	S	D

BLANC DE BLANCS
BLANC DE NOIR
BLEND
BOTTLE
BUBBLES
CARBONATED
CHAMPAGNE
CHAMPENOISE
CHANDON
CUVEE
EFFERVESCENCE
FIZZY
FLUTES
FRANCE
FRIZZANTE
GLASSES
MOSCATO
MOUSSEUX
PETILLANT
PINK
PINOT NOIR
SHIRAZ
STYLE

Word Search 194

K	X	B	E	R	N	B	M	N	T	S	P	L	M	T
L	G	E	E	E	I	O	O	S	A	W	E	O	I	C
P	N	C	V	G	S	G	A	W	Y	C	R	M	A	E
C	O	A	O	E	A	E	H	P	D	A	M	Q	J	P
K	R	U	S	V	F	M	Y	T	L	O	D	H	Q	S
G	W	U	B	R	B	P	I	S	C	U	W	X	U	E
M	O	L	T	E	N	G	O	D	S	N	U	N	I	R
R	O	D	S	S	C	L	R	Y	B	L	O	V	E	S
R	E	U	H	B	O	P	L	L	A	E	T	S	Q	T
U	O	S	G	O	V	A	G	E	T	A	H	B	J	A
H	P	M	T	L	E	V	S	M	W	V	R	A	H	B
I	A	N	I	S	T	N	U	O	M	E	V	A	V	L
M	G	F	A	L	S	E	G	F	A	N	V	C	V	E
R	E	H	T	O	M	K	K	D	P	E	G	I	C	T
Q	S	A	C	R	I	F	I	C	E	D	M	K	L	S

BEHAVE
BOW DOWN
BREAD
COMMIT
COVET
FALSE
FEAST
GRAVEN
HOUSE
IMAGE
LIVE WELL
LOVE
MOLTEN GODS
MORALS
MOSES
MOTHER
MOUNT SINAI
OBSERVE
RESPECT
REST
RIGHT
SACRIFICE
SIX DAYS
STEAL
TABLETS
UNLEAVENED
WRONG

Word Search 195 CHARITY SHOP

Y	K	F	R	U	G	A	L	G	R	Z	D	N	E	R
S	R	E	X	D	V	O	N	Y	A	O	A	L	E	T
F	D	E	T	E	Y	I	E	Y	N	P	C	D	O	T
V	O	N	L	T	H	E	I	A	E	Y	C	P	C	E
E	O	H	A	T	L	V	T	R	C	R	A	V	O	S
H	P	L	O	H	U	E	Y	E	O	E	W	V	L	R
L	F	L	U	S	D	C	R	S	T	U	A	U	L	E
E	C	E	B	N	P	N	S	F	V	D	Z	R	E	N
S	A	L	V	A	T	I	O	N	A	R	M	Y	C	N
T	D	A	H	W	W	E	C	C	X	E	C	D	T	I
O	L	S	Y	L	Y	I	E	E	E	S	S	O	A	D
Y	R	E	K	C	O	R	C	R	R	S	B	R	B	C
S	R	R	J	B	D	X	M	Y	S	E	B	N	L	E
V	D	Y	C	U	R	T	A	I	N	S	D	F	E	H
K	Y	T	I	N	U	T	R	O	P	P	O	X	S	L

CLOTHING
COLLECTABLES
CROCKERY
CURTAINS
CUTLERY
DINNER SET
DONATED
DRESSES
FRUGAL
HOSPICE
KETTLE
NAPERY
OPPORTUNITY
RECYCLE
RED CROSS
RESALE
SALVATION ARMY
SECOND-HAND
TEAPOT
TOYS
VOLUNTEERS

P	W	D	Q	S	X	G	F	P	Q	P	C	U	L	T
C	A	R	P	E	T	U	N	G	I	S	E	D	E	E
R	X	I	P	B	R	U	M	I	W	C	E	X	E	X
D	E	L	N	N	P	C	O	S	L	Z	T	W	R	T
F	F	T	I	T	A	T	N	A	T	I	S	U	T	U
L	L	S	S	B	I	I	C	Y	G	S	E	E	R	R
I	H	O	I	O	A	N	C	B	U	T	C	C	L	E
G	K	N	W	T	P	U	G	M	L	N	W	F	A	F
H	E	L	R	E	S	N	Q	E	A	E	U	E	N	V
T	Z	U	M	H	R	V	J	L	B	M	F	N	O	X
I	C	L	I	E	O	S	A	C	S	A	B	G	S	Y
N	K	O	T	J	T	B	R	L	D	N	M	S	R	C
G	N	T	H	A	N	G	I	N	G	R	N	H	E	K
B	A	R	O	I	R	E	T	N	I	O	T	U	P	K
P	S	G	F	D	D	E	C	O	R	A	T	I	N	G

BALANCE
CABINET
CARPET
CEILING
CURTAINS
CUSHION
DECORATING
DESIGN
FENG SHUI
FLOWERS
FURNISH
HANGING
INTERIOR
LIGHTING
ORNAMENTS
PAINTING
PATTERN
PERSONAL
PICTURE
POSTER
TEXTURE

Word Search 197 _____ SPANISH ENGLISH

E	T	A	L	O	C	O	H	C	O	M	R	A	D	E
O	J	T	D	E	H	A	T	S	E	I	F	B	X	M
J	Q	O	Y	N	O	C	O	Z	I	R	O	H	C	L
J	T	R	E	A	G	F	A	C	A	N	A	S	T	A
I	P	N	B	C	N	C	P	O	A	C	D	K	D	X
V	S	A	O	I	A	Z	A	N	R	A	A	U	U	T
I	T	D	D	R	T	A	Z	N	A	K	C	P	D	A
G	A	O	A	R	T	A	L	N	N	A	C	A	L	M
I	M	R	I	U	E	A	O	L	R	I	I	O	O	A
L	P	K	M	H	B	S	I	R	I	Q	B	D	C	R
A	E	O	W	A	M	R	A	R	U	G	A	A	X	I
N	D	B	L	I	D	B	A	I	A	C	A	T	L	L
T	E	O	R	C	N	A	R	V	O	L	P	T	I	L
E	N	C	G	S	F	I	N	V	O	P	W	Z	O	O
E	N	X	E	C	I	G	A	R	E	T	T	E	B	R

ABALONE
ADOBE
ALLIGATOR
ALPACA
ARMADA
AVOCADO
BARRACUDA
BONANZA
BRAVO
CANASTA
CANNIBAL
CHOCOLATE
CHORIZO
CIGARETTE
COCKROACH
COMRADE
CRIMSON
DAIQUIRI
FIESTA
HURRICANE
LARIAT
STAMPEDE
TAMARILLO
TANGO
TORNADO
VIGILANTE

E	G	I	X	S	H	P	O	E	R	U	T	U	F	U
M	W	J	X	C	E	C	P	R	E	S	E	N	T	E
B	W	J	O	R	T	P	E	A	A	V	S	Y	L	J
R	W	P	I	O	M	T	T	I	S	B	J	C	U	W
E	E	O	B	Y	N	F	T	E	L	T	Y	X	N	D
B	D	E	D	I	I	E	R	E	M	C	P	Y	E	E
M	R	X	W	W	G	N	C	A	A	B	J	E	H	C
E	E	P	H	E	H	U	T	N	D	S	E	A	T	E
V	V	C	N	E	T	V	H	E	A	N	T	R	B	M
O	E	X	V	K	A	C	E	U	R	T	E	E	Q	B
N	D	U	C	P	R	G	K	T	Y	V	S	L	R	E
S	I	Y	R	A	U	N	A	J	U	L	A	N	A	R
Z	T	I	M	W	H	I	T	S	U	N	U	L	I	C
L	L	L	Y	O	S	K	E	D	O	S	I	P	E	M
A	U	G	U	S	T	C	H	R	I	S	T	M	A	S

APRIL
AUGUST
CALENDAR
CHRISTMAS
CYCLE
DECEMBER
EASTER
EPISODE
EPOCH
EVER
FUTURE
INSTANCE
INTERVAL
JANUARY
MARCH
MINUTE
NIGHT
NOVEMBER
OCTOBER
PAST
PERIOD
PRESENT
SEPTEMBER
THEN
WEEK
WHITSUN
WINTER
YEAR

Word Search 199 ______________ CARPET

K	U	O	D	N	J	N	E	W	B	P	F	O	S	P
A	L	N	E	T	O	N	K	R	L	E	V	Z	E	K
H	K	V	D	L	U	N	W	A	U	S	R	R	R	E
G	O	A	Y	E	O	R	I	D	N	T	S	B	L	K
W	N	N	S	T	R	N	K	R	E	I	X	I	E	O
X	X	I	T	H	G	L	E	I	A	T	T	E	L	R
X	I	E	V	Z	M	T	A	N	S	X	S	R	T	I
S	D	N	N	A	T	I	O	Y	E	H	N	I	O	E
Y	B	A	A	A	E	N	R	T	U	F	T	S	W	N
A	A	H	P	M	W	W	G	N	I	D	N	I	B	T
W	C	G	E	W	A	L	L	S	Y	Y	Z	S	D	A
R	K	F	Y	D	N	E	L	B	A	O	D	H	Z	L
O	I	A	D	F	L	O	O	R	S	G	Z	A	F	A
O	N	X	E	D	A	M	N	A	M	B	S	G	S	S
D	G	S	Y	Q	H	S	Y	N	T	H	E	T	I	C

AFGHAN
BACKING
BERBER
BINDING
BLEND
DOORWAYS
DYE
FLOORS
KASHMIR
KNOTTED
MANMADE
NAP
NYLON
ORIENTAL
PATTERNS
PERSIAN
PLAIN
SHAG
SYNTHETIC
TEXTILE
TEXTURE
TUFTS
TURKISH
TWISTED
UNDERLAY
WALLS
WEAVING
WOVEN
YARN

A	U	B	A	K	I	N	G	P	O	W	D	E	R	N
J	E	F	C	V	M	E	S	O	S	X	I	K	B	O
M	H	R	W	G	N	R	E	T	F	I	S	C	H	N
Z	E	R	A	I	H	L	L	P	F	G	N	A	Y	S
I	V	A	B	T	Z	K	F	D	I	Z	Z	R	G	T
W	Q	M	S	Z	E	C	R	M	H	E	R	G	H	I
G	O	J	I	U	O	E	A	B	T	N	D	N	T	C
C	N	R	I	O	R	R	I	I	N	V	L	I	G	K
N	D	I	K	M	G	E	S	S	A	Y	Z	L	S	F
W	E	I	T	A	A	P	I	C	R	V	M	O	O	H
H	E	T	R	S	A	B	N	U	A	H	T	O	Q	M
S	T	I	U	T	O	V	G	I	M	A	R	C	K	R
S	N	N	U	L	P	R	M	T	A	P	F	A	O	L
E	A	L	R	K	G	Z	F	S	B	U	T	T	E	R
B	A	T	T	E	R	U	T	A	R	E	P	M	E	T

AERATE
AMARANTH
BAKING POWDER
BATTER
BISCUITS
BUTTER
COMBINE
COOKIES
COOLING RACK
DRIZZLE
FROSTING
GLUTEN
LOAF
MARGARINE
MEASURE
NON-STICK
PIE DISH
PROOF
SELF-RAISING
SIFTER
SPATULA
TEMPERATURE

Word Search 201 MARKET STALL

D	P	E	M	O	N	G	N	E	D	R	A	G	M	S
O	Y	O	E	L	N	T	J	R	G	L	A	S	S	S
K	E	S	T	E	E	G	I	A	T	L	E	B	K	O
B	A	R	M	T	G	A	B	U	B	O	X	F	C	U
V	R	A	U	B	E	D	T	Y	R	Z	O	P	I	R
D	R	I	R	T	N	R	B	H	E	F	F	L	T	D
F	S	E	C	A	C	A	Y	E	E	P	A	O	S	O
I	A	G	H	A	R	I	F	K	P	R	L	T	E	U
D	V	M	N	T	B	F	P	L	C	Q	T	I	L	G
Y	E	B	E	I	O	R	A	X	H	O	E	O	D	H
E	G	R	Z	C	R	T	A	G	T	C	L	N	N	B
N	I	A	E	S	E	R	O	C	O	O	K	C	A	U
O	E	S	U	S	B	Q	A	A	L	G	N	Q	C	N
H	S	S	G	U	R	J	T	E	C	I	A	B	I	S
R	O	C	K	S	C	E	N	T	E	D	O	I	L	H

ANKLET
BARTER
BELT
BRASS
BREAD
BRIC-A-BRAC
CANDLESTICK
CLOCK
CLOTH
COAT
COFFEE
EARRINGS
FRAME
FRUIT
GARDEN GNOME
GLASS
HANDBAG
HONEY
LEATHER
LOTION
PICTURE
PLATES
POTTERY
ROCKS
RUGS
SCENTED OIL
SOAP
SOURDOUGH BUNS
TOOLS
VASE
VEGIES

T	E	R	U	T	L	U	C	A	M	R	E	P	Q	B
S	L	W	E	F	F	F	R	E	S	H	A	I	R	C
T	S	R	E	G	E	N	E	R	A	T	I	O	N	O
A	K	E	F	B	A	R	W	S	R	E	V	I	R	N
G	E	T	N	K	I	Z	T	H	A	N	N	V	N	S
R	C	S	W	R	T	O	S	I	Q	M	C	Q	O	E
I	O	E	U	N	E	B	N	P	L	F	U	E	I	R
C	A	R	B	O	N	D	I	O	X	I	D	E	T	V
U	A	O	G	I	H	A	L	C	M	I	S	E	C	A
L	F	F	Z	A	N	N	L	I	C	I	N	E	A	T
T	X	N	I	I	N	I	E	I	W	O	C	N	R	I
U	U	I	M	D	M	I	T	E	L	I	A	S	E	O
R	P	A	A	A	R	S	S	C	R	B	Q	N	T	N
E	L	R	T	T	E	P	Y	M	R	G	X	V	N	G
S	J	E	D	P	E	C	L	U	S	Z	Y	K	I	Z

AGRICULTURE
ANIMALS
BIONOMICS
CARBON DIOXIDE
CLIMATE
CONSERVATION
CYCLONE
FERTILISER
FRESH AIR
GREENHOUSE
INTERACTION
ORGANISMS
PERMACULTURE
PESTICIDE
RAINFOREST
REGENERATION
RIVERS
URBAN
WILDERNESS

Word Search 203 ACTION FILMS

L	A	S	T	A	C	T	I	O	N	H	E	R	O	K
N	O	I	T	C	A	N	I	G	N	I	S	S	I	M
B	E	V	E	R	L	Y	H	I	L	L	S	C	O	P
T	G	B	Q	E	U	P	E	E	E	H	K	Y	S	L
G	C	T	L	A	C	G	K	L	S	C	N	I	E	E
K	A	A	U	U	A	I	G	O	R	A	I	K	M	T
C	I	A	P	T	R	A	V	I	H	S	G	T	A	H
O	I	L	S	M	E	T	M	I	N	C	H	H	G	A
C	Q	O	L	K	I	S	H	I	M	E	T	D	T	L
N	H	V	C	B	O	N	S	U	J	A	R	G	O	W
A	S	A	H	N	I	S	E	A	N	C	I	H	I	E
H	L	F	T	G	A	L	C	D	W	D	D	M	R	A
B	L	I	N	S	K	K	L	R	D	S	E	I	T	P
N	D	Q	S	J	A	M	X	M	I	U	R	R	A	O
E	W	A	L	L	A	I	T	R	A	M	S	F	P	N

ASSASSINS
BEVERLY HILLS COP
BLACK EAGLE
BLUR THUNDER
CRIMSON TIDE
HANCOCK
HOSTAGE
KILL BILL
KNIGHTRIDERS
LAST ACTION HERO
LETHAL WEAPON
MARTIAL LAW
MIAMI VICE
MISSING IN ACTION
PATRIOT GAMES
SUDDEN IMPACT
THE JACKAL

E	T	T	E	G	R	U	O	C	P	G	H	K	B	R
H	E	E	G	G	P	L	A	N	T	S	P	A	Z	V
S	C	C	C	I	L	R	A	G	I	Y	J	L	O	P
I	S	A	U	Y	D	M	U	D	F	L	N	E	I	E
L	W	A	N	T	O	M	A	T	O	E	S	N	K	A
V	E	R	C	I	T	R	H	T	J	J	S	O	U	S
E	D	K	K	E	P	E	U	C	J	R	H	B	P	U
R	E	O	C	L	L	S	L	I	A	C	E	R	I	G
B	P	V	J	O	R	E	L	P	I	R	O	B	N	A
E	O	E	I	O	R	O	R	T	G	U	R	X	R	R
E	T	N	O	D	C	N	R	I	T	I	T	O	U	A
T	A	T	I	C	N	A	N	S	A	V	S	B	T	P
J	T	E	O	O	R	E	B	M	U	C	U	C	E	S
U	O	R	S	B	N	C	H	A	R	D	H	V	F	A
N	B	F	C	A	U	L	I	F	L	O	W	E	R	R

ARTICHOKE
ASPARAGUS
AUBERGINE
BROCCOLI
CARROTS
CAULIFLOWER
CELERIAC
CHARD
CORN
COURGETTE
CUCUMBER
EGGPLANT
ENDIVE
GARLIC
KALE
LETTUCE
LOTUS ROOT
OKRA
ONION
PARSNIP
POTATO
RADISH
SILVER BEET
SPINACH
SPROUTS
SWEDE
TOMATOES
TURNIP

Word Search 205 — ITALIAN SPA TOWNS

I	I	P	A	P	I	E	D	E	M	R	E	T	P	F
I	L	O	V	I	T	I	D	I	N	G	A	B	K	M
T	E	M	I	L	I	A	R	O	M	A	G	N	A	O
O	H	O	A	B	R	U	Z	Z	I	T	N	Z	O	N
T	H	E	R	M	A	L	S	P	R	I	N	G	S	T
T	E	O	R	T	N	L	A	E	E	H	V	A	O	E
O	C	T	S	M	V	M	A	C	O	L	N	X	A	P
R	A	E	A	A	A	T	I	T	C	O	X	T	Z	U
G	M	N	V	N	M	L	S	N	I	A	S	F	Y	L
E	P	E	U	E	E	P	C	B	E	O	I	N	M	C
T	A	V	N	M	R	V	R	A	A	R	A	C	L	I
N	N	T	Y	I	B	A	U	D	V	C	A	B	S	A
O	I	P	N	K	Z	R	L	J	S	E	D	L	C	N
M	A	G	J	T	G	A	I	U	E	I	S	R	S	O
G	S	V	M	F	V	A	T	A	X	R	U	Y	I	B

ABRUZZI
BAGNI DI TIVOLI
CAMPANIA
EMILIA ROMAGNA
HOT SPRINGS
MINERALS
MONTEGROTTO
MONTEPULCIANO
MT ZARBION
REJUVENATE
SCIACCA
TERME DEI PAPI
THERMAL CAVES
THERMAL SPRINGS
TREATMENT
TUSCANY
UMBRIA
VAL D'AOSTA
VENETO

Q	F	I	V	E	D	I	G	I	T	S	R	Y	K	O
K	S	U	B	O	L	O	C	G	N	I	K	N	S	U
O	P	P	O	S	A	B	L	E	T	H	U	M	B	S
L	I	E	C	B	S	L	L	E	G	C	S	A	K	I
A	D	N	O	A	X	E	C	A	K	X	L	Y	X	N
R	E	O	N	K	P	I	I	L	E	E	G	C	X	O
G	R	B	Y	E	Z	U	E	B	E	R	Y	W	S	B
E	M	R	B	C	W	W	C	Z	A	K	O	R	W	B
B	O	A	Y	I	A	W	N	H	E	B	E	B	I	I
R	N	L	R	L	G	A	O	U	I	I	H	P	R	G
A	K	L	K	J	P	T	Q	R	S	N	E	S	I	A
I	E	O	V	M	X	A	O	R	L	D	M	W	U	C
N	Y	C	I	J	C	K	A	E	A	D	N	H	O	B
F	K	H	I	A	C	T	L	L	S	W	U	K	G	S
B	C	N	M	N	A	T	U	G	N	A	R	O	T	Z

ARBOREAL
BIG TOES
BIPEDAL
BUSHBABIES
CAPUCHIN
CHIMPANZEE
COLLAR BONE
FIVE DIGITS
GIBBON
KING COLOBUS
KNUCKLE WALK
LARGE BRAIN
MACAQUE
NEW WORLD
OPPOSABLE THUMBS
ORANGUTAN
SAKI
SPIDER MONKEY
TARSIERS

Word Search 207 ______ STIR FRY

A	L	E	M	O	N	G	R	A	S	S	C	F	R	V
D	B	E	E	F	S	U	T	T	G	A	O	E	N	E
S	E	S	R	E	B	A	X	B	P	K	D	K	T	G
W	A	T	E	R	C	H	E	S	T	N	U	T	S	E
K	N	B	W	G	B	U	I	P	A	M	S	V	L	T
S	S	P	O	W	R	C	A	I	W	O	Z	I	R	A
N	H	R	L	K	U	E	R	S	Y	O	O	H	C	B
O	O	A	F	M	C	O	E	S	R	E	N	T	M	L
I	O	W	I	S	C	H	A	N	M	E	O	S	A	E
L	T	N	L	S	P	U	O	A	B	R	T	D	O	O
L	S	S	U	J	C	I	S	Y	R	E	C	S	G	I
A	T	H	A	E	R	E	C	A	B	O	A	N	Y	L
C	L	T	C	U	S	T	C	E	L	P	K	N	F	O
S	T	O	O	H	S	O	O	B	M	A	B	H	S	M
G	D	P	N	A	E	B	K	C	A	L	B	Y	E	I

BAMBOO SHOOTS
BEAN SHOOTS
BEEF
BLACK BEAN
BOK CHOY
CAPSICUM
CARROT
CAULIFLOWER
CORIANDER
GREEN BEANS
LEMONGRASS
OYSTER SAUCE
PRAWNS
SCALLIONS
SESAME OIL
SNOW PEAS
SOY SAUCE
SPICE
VEGETABLE OIL
WATER CHESTNUT

W	J	F	R	O	T	P	I	R	C	S	E	D	H	N
D	M	I	C	R	O	F	I	C	H	E	Q	N	Y	B
D	R	E	N	C	Y	C	L	O	P	A	E	D	I	A
I	S	O	B	N	L	S	S	E	M	W	U	Z	H	Y
S	V	E	C	R	J	I	N	E	S	W	D	V	H	R
S	L	D	C	E	O	T	T	P	V	I	J	P	E	O
E	A	O	O	R	R	W	A	E	C	L	A	C	H	T
R	C	C	M	Y	U	P	S	T	R	R	E	C	W	C
T	I	U	P	A	E	O	I	E	G	A	R	H	S	E
A	D	M	U	R	G	O	S	O	M	A	T	T	S	R
T	O	E	T	G	N	A	I	E	E	O	N	U	R	I
I	I	N	E	A	B	L	Z	S	R	I	L	P	R	D
O	R	T	R	H	B	B	E	I	R	D	A	E	R	E
N	E	Y	S	I	F	R	G	P	N	Z	D	V	D	F
M	P	I	B	X	E	C	N	E	R	E	F	E	R	L

BIBLIOGRAPHY
BROWSE
COMPUTERS
DESCRIPTOR
DICTIONARY
DIRECTORY
DISSERTATION
DOCUMENT
DVD
ENCYCLOPAEDIA
ENTRY
LITERATURE
MAGAZINE
MICROFICHE
NEWSPAPER
PERIODICAL
PRINTS
READ
RECORD
REFERENCE
RESEARCH
RESOURCES
SHELVES

Word Search 209 — FOUR WHEEL DRIVE

C	V	E	D	I	S	Y	R	T	N	U	O	C	F	E
R	D	A	Q	E	A	B	U	M	P	Y	N	O	S	T
O	S	R	C	F	R	K	L	A	H	I	R	U	D	R
S	P	H	I	A	T	O	S	O	A	D	O	I	B	A
S	M	C	K	V	T	S	L	T	W	H	F	X	E	I
C	U	N	Y	G	E	I	N	P	D	L	V	L	A	L
O	B	I	D	N	D	U	O	A	X	E	A	E	C	E
U	E	W	G	A	O	H	O	N	H	E	E	N	H	R
N	S	E	Y	M	O	R	T	I	M	U	I	P	D	Z
T	R	R	I	V	E	R	C	R	O	S	S	I	N	G
R	E	V	Y	E	E	L	F	S	E	H	S	U	B	V
Y	V	G	T	S	E	X	B	F	E	R	L	D	J	I
R	A	S	E	P	O	L	S	Z	O	A	A	F	O	E
M	R	D	A	T	M	E	A	D	O	W	T	P	N	W
Z	T	Y	L	T	R	A	C	T	I	O	N	S	S	S

BEACH
BUMPS
BUMPY
BUSHES
COUNTRYSIDE
CROSS COUNTRY
DESERT
DRIVE
EXPLORE
FORD
HOLIDAY
LOWLAND
MEADOW
MOUNTAIN
OFFROAD
PASSENGER
RIVER CROSSING
ROADHOUSE
SEATS
SLOPES
SPARE
STEER
TRACTION
TRAILER
TRAVERSE
VACATION
VEHICLE
VIEWS
WINCH

A	J	Y	R	A	N	I	D	R	O	E	W	S	H	C
L	G	D	G	V	G	Y	P	E	U	I	U	Q	C	U
E	U	L	I	O	B	A	L	Q	T	O	X	B	J	K
N	F	F	L	M	L	R	S	K	E	F	A	Y	G	Q
T	R	X	I	L	M	E	U	D	R	T	I	S	N	M
I	N	E	I	T	T	O	I	D	L	A	W	G	O	N
C	I	D	D	O	U	H	R	I	D	O	P	N	R	O
I	K	Z	R	E	W	A	K	T	D	Y	S	S	T	C
N	S	G	W	K	Y	E	E	A	A	T	S	J	S	T
G	K	Z	H	D	R	E	H	B	R	L	T	K	A	U
M	R	Z	I	W	Q	S	S	O	M	W	B	U	I	R
X	A	U	T	A	L	L	U	R	I	N	G	M	W	N
F	D	Q	E	D	P	S	C	I	L	R	A	G	E	A
T	H	G	I	L	N	O	O	M	W	I	N	G	S	L
F	U	Y	M	I	N	D	P	O	W	E	R	S	F	O

ALLURING
BATLIKE
BEAUTIFUL
DARK SKIN
ENTICING
GARLIC
GIFTED
GROTESQUE
HIDEOUS
IMMORTAL
MIND POWERS
MONSTROUS
MOONLIGHT
NOCTURNAL
ORDINARY
PALLID
RED EYES
RUDDY SKIN
SHADOWS
SPARKLY
STRONG
WHITE
WINGS

N	W	N	O	S	N	I	T	T	A	P	V	B	B	N
K	E	C	E	N	C	T	A	L	A	I	M	E	O	D
S	O	W	O	E	N	U	Y	N	C	Q	S	I	N	R
S	D	V	M	E	N	E	L	T	B	T	S	W	W	I
N	E	N	R	O	I	E	O	L	S	N	Y	K	A	N
L	A	U	E	L	O	R	R	E	E	N	T	T	D	K
W	A	W	R	G	I	N	L	T	K	N	E	D	G	B
L	O	A	S	A	E	L	A	L	J	A	F	R	N	L
P	H	L	D	A	E	L	U	I	Q	Z	A	E	I	O
C	C	G	F	R	L	J	T	F	M	S	S	A	K	O
Y	I	L	S	P	N	L	N	Y	Y	D	C	M	A	D
Z	C	Y	S	H	A	P	E	S	H	I	F	T	E	R
E	D	W	A	R	D	C	R	B	X	E	Y	M	R	L
S	E	M	A	J	R	E	K	C	A	R	T	X	B	T
K	R	I	S	T	E	N	S	T	E	W	A	R	T	Z

BELLA SWAN
BESTSELLERS
BREAKING DAWN
CHARLIE
CULLEN
DREAM
DRINK BLOOD
EDWARD
JAMES
KRISTEN STEWART
LAURENT
LEGENDS
NEW MOON
NOVEL
PATTINSON
RENEE
SAFETY
SHAPE SHIFTER
TAYLOR LAUTNER
TENSION
TRACKER
VICTORIA
WOLF PACK

E	R	A	E	R	O	P	H	O	N	E	S	V	G	Y
B	X	G	P	V	N	K	V	E	F	P	I	P	E	R
V	R	W	N	A	V	E	S	E	N	I	S	U	O	B
T	K	I	R	I	R	Q	R	I	T	A	L	I	A	N
Z	I	C	D	B	P	R	C	S	C	R	A	P	E	R
R	X	P	L	L	U	P	H	N	F	R	Z	E	P	P
A	V	O	P	L	E	F	A	R	E	T	N	A	H	C
H	W	G	E	I	C	I	R	L	W	O	S	V	D	A
N	D	A	R	F	N	A	B	D	R	G	E	Q	N	P
O	E	B	V	O	N	G	R	D	K	U	C	G	A	I
P	U	R	T	A	R	O	E	A	Z	Y	O	A	I	P
M	J	S	U	E	L	W	T	E	M	P	N	I	B	A
A	E	B	E	O	H	V	T	E	M	U	D	D	R	S
S	Q	D	Y	Y	L	G	E	A	R	X	S	A	E	S
H	S	I	D	E	W	S	Z	S	B	B	Y	A	S	O

AEROPHONES
BAG
BOUSINE
BRETON
BRIDLE
CARAMUSA
CHANTER
CHARBRETTE
CRAN
DRONE
ESTONIAN
FERRULE
GAIDA
ITALIAN
LAPPING
LOURE
OVERBLOW
PIPASSO
PIPER
REEDS
SAMPONHA
SCRAPER
SECONDS
SERBIAN
SWEDISH
TIPPING
VALVES
VEUZE
ZAMPOGNA

Word Search 213 ______ OCEAN BOUND

G	J	T	C	O	C	E	A	N	L	I	N	E	R	Y
T	L	S	D	R	C	E	G	D	I	R	B	P	N	D
O	T	A	T	R	U	R	A	B	O	A	R	D	E	C
N	I	L	E	A	A	I	O	P	I	H	S	D	I	M
K	L	L	U	G	N	W	S	W	X	N	N	B	W	P
O	L	A	R	D	L	K	D	E	S	P	I	D	H	E
F	E	B	J	R	G	I	E	N	R	N	R	B	D	R
R	R	S	E	A	F	I	B	R	I	A	E	I	A	G
E	Q	T	T	W	P	R	R	F	O	W	S	S	A	C
I	H	E	S	R	O	O	L	B	C	P	A	L	T	R
G	C	R	A	O	G	O	R	B	O	L	L	A	R	D
H	T	N	M	F	T	A	M	T	O	E	D	G	E	C
T	I	G	R	S	T	A	C	F	Y	L	E	E	H	W
E	P	O	A	S	T	T	T	P	O	M	A	E	B	I
R	G	M	T	E	P	J	Z	H	M	B	O	S	U	N

ABOARD
ALOFT
BALLAST
BEAM
BILGE
BOLLARD
BOSUN
BRIDGE
BRIG
CABIN
CROW'S NEST
CRUISER
FLOTSAM
FORWARD
FREIGHTER
GALLEY
HOLD
JETSAM
KNOT
MATE
MIDSHIP
MOOR
OCEAN LINER
PITCH
PORT
STARBOARD
STERN
TANKER
TILLER
TOPSIDE
WHEEL
WINDWARD

I	I	S	F	G	C	N	S	O	Q	E	J	I	L	M
G	O	O	H	C	C	I	G	K	N	X	N	A	T	U
G	A	R	L	I	C	L	Y	I	C	A	R	D	P	W
L	M	O	D	P	V	O	W	Q	N	O	N	S	R	V
O	T	O	E	I	V	D	D	I	L	G	R	E	Z	S
H	O	E	O	Z	A	N	M	F	J	R	R	S	K	I
F	X	L	F	E	Y	A	R	H	W	A	S	S	I	L
T	I	Q	R	U	T	M	O	E	K	P	T	A	T	V
N	M	B	W	E	R	F	J	B	T	E	O	L	C	E
L	E	A	V	E	S	N	L	S	J	S	P	G	H	R
Q	T	E	K	S	A	B	I	O	L	E	B	P	E	W
N	O	R	A	N	G	E	S	T	W	L	C	O	N	A
A	S	E	L	D	N	A	C	V	U	E	E	T	L	R
F	D	L	O	H	E	S	U	O	H	R	R	H	S	E
V	E	G	E	T	A	B	L	E	S	L	E	S	S	D

BASKET
BREAD
CANDLES
CLOTH
FAN
FLORAL
FLOWERS
FOOD
FURNITURE
GARLIC
GLASSES
GRAPES
HOUSEHOLD
INANIMATE
KITCHEN
LEAVES
LOBSTER
MANDOLIN
OBJECTS
ORANGES
POTS
ROCKS
SHELLS
SILVERWARE
VEGETABLES
VIOLIN
WINE

Word Search 215 ______ WORLD AIRLINES

X	B	R	I	T	I	S	H	A	I	R	W	A	Y	S
S	M	T	X	C	S	J	V	U	D	P	D	V	J	I
K	Y	O	R	D	E	C	R	B	L	A	U	C	N	J
T	D	A	U	A	I	L	F	O	N	P	F	K	A	A
H	S	I	W	P	N	L	A	A	Y	R	P	V	I	P
O	K	E	M	R	F	S	C	N	O	L	P	U	N	A
M	C	Y	W	F	I	R	B	Y	D	O	I	T	O	N
S	L	N	I	H	I	A	A	R	R	A	B	R	D	A
O	B	X	N	A	T	L	T	T	A	J	I	U	E	I
N	K	R	H	T	B	R	U	O	I	Z	Z	R	C	R
F	C	H	I	R	D	G	O	D	C	L	I	L	A	L
L	R	Q	U	G	A	N	X	N	F	S	D	L	M	I
Y	D	N	A	L	A	E	Z	W	E	N	R	I	A	N
S	E	N	I	L	R	I	A	I	A	H	T	J	O	E
I	C	A	T	H	A	Y	P	A	C	I	F	I	C	S

AIR CANADA
AIR NEW ZEALAND
BRITISH AIRWAYS
CATHAY PACIFIC
ICELANDAIR
JAPAN AIRLINES
MACEDONIAN
NORTHWEST
OLYMPIC
PORTUGALIA
ROYAL BRUNEI
SCOTAIRWAYS
THAI AIRLINES
THOMSONFLY
TRANSBRAZIL

K	A	T	A	B	A	T	I	C	A	R	C	T	I	C
B	Z	H	W	O	N	H	E	D	H	T	D	H	M	W
X	T	Q	L	R	Y	S	N	T	V	I	U	M	A	J
H	L	P	S	E	E	O	O	C	A	R	N	W	D	R
A	C	R	Y	P	Z	T	C	U	R	R	I	O	K	Z
R	X	E	L	M	O	Q	S	I	T	L	E	O	O	F
M	O	V	R	A	T	F	C	A	L	H	C	D	A	K
A	N	A	E	P	L	A	F	I	E	C	E	V	O	S
T	S	I	H	Q	N	A	W	S	O	R	O	R	T	M
T	H	L	T	E	E	G	R	R	H	N	O	R	L	U
A	O	I	R	M	I	Y	I	T	I	O	O	N	M	Y
N	R	N	O	I	C	S	U	A	S	N	R	H	V	D
T	E	G	N	E	G	X	N	X	G	U	H	E	J	T
T	O	U	R	B	I	L	L	I	O	N	A	N	U	P
Y	T	S	U	D	N	I	W	L	R	I	H	W	L	B

ARCTIC
AUSTRAL
CHINOOK
DUST
FAVONIAN
HARMATTAN
HURRICANE
KATABATIC
MODERATE
NOR'EASTER
NORTHERLY
OFFSHORE
ONSHORE
PAMPERO
PREVAILING
PUNA
SIROCCO
SOUTHERLY
STRONG
TOURBILLION
WHIRLWIND
WILLIWAW
ZONDA

P	N	S	U	M	A	T	O	P	O	P	P	I	H	W
W	I	L	D	L	I	F	E	T	N	K	Q	R	B	T
F	M	J	A	D	R	A	P	O	E	L	V	K	W	H
W	H	I	T	E	R	H	I	N	O	C	E	R	O	S
V	A	X	R	M	K	T	V	D	E	R	H	F	V	E
E	M	D	R	A	I	T	G	D	P	E	I	X	C	X
H	L	F	V	D	B	I	E	E	O	T	C	V	A	C
A	T	I	E	E	R	B	R	L	L	R	L	L	M	I
T	R	P	D	A	N	O	I	Y	E	O	E	A	E	T
E	X	E	F	O	L	T	E	T	T	P	N	I	R	E
E	L	F	G	P	C	K	U	R	N	E	H	T	A	M
H	E	G	X	N	N	O	A	R	A	Q	J	A	K	E
C	D	E	N	O	A	I	R	T	E	E	L	B	N	N
F	K	B	M	U	L	D	E	C	R	A	E	P	S	T
W	C	Z	L	R	J	R	E	N	C	A	M	P	W	I

ADVENTURE
ANTELOPE
CAMERA
CHEETAH
CROCODILE
DANGER
ELEPHANT
ENCAMP
EXCITEMENT
EXPEDITION
EXPLORE
GIRAFFE
HIPPOPOTAMUS
JUNGLE
LEOPARD
MANEATER
MONKEY
PORTER
RABBIT
SPEAR
TRAIL
VEHICLE
WHITE RHINOCEROS
WILDLIFE

K	C	A	M	B	R	I	D	G	E	W	C	C	Q	C
D	U	C	K	C	T	Y	Q	T	E	A	A	W	A	A
X	A	D	H	M	O	E	R	D	R	R	D	G	B	Y
C	C	C	N	I	U	L	R	A	S	K	O	Q	C	M
C	L	Q	I	C	A	E	O	O	G	O	Y	A	A	A
I	C	E	D	R	V	N	N	M	N	L	P	X	I	N
N	A	M	V	E	A	C	G	A	B	E	A	F	N	I
C	R	Y	P	E	I	T	T	M	T	O	B	C	R	S
I	A	A	X	T	L	T	S	O	A	C	U	E	O	L
N	C	Q	Y	I	A	A	W	O	A	I	C	Y	F	A
N	A	N	I	H	C	N	N	P	C	S	C	D	I	N
A	S	A	C	M	G	A	R	D	Z	Z	D	Z	L	D
T	A	C	O	O	K	I	S	L	A	N	D	S	A	S
I	D	N	E	G	A	H	N	E	P	O	C	Y	C	G
S	D	N	A	L	S	I	Y	R	A	N	A	C	X	A

CALGARY
CALIFORNIA
CAMBRIDGE
CANARY ISLANDS
CAPE TOWN
CAPE VERDE
CAPRI
CARACAS
CARSON CITY
CAYMAN ISLANDS
CHATTANOOGA
CHIANG MAI
CHINA
CINCINNATI
CLEVELAND
COLOMBO
COOK ISLANDS
COPENHAGEN
COSTA RICA
CUBA

Word Search 219 ____________ ENCHANT

I	R	R	E	S	I	S	T	I	B	L	E	C	Q	A
S	N	A	S	M	U	D	N	S	H	Y	S	W	P	S
T	D	E	C	P	E	P	L	E	A	S	E	P	J	P
B	I	A	D	M	E	H	Q	B	E	J	E	I	E	E
N	W	C	R	D	M	L	C	B	I	A	I	T	C	L
R	A	A	K	L	A	A	L	T	L	B	A	Z	N	L
B	H	M	A	L	H	L	G	B	I	V	S	I	A	B
C	T	Y	L	W	E	S	G	I	I	W	Z	J	R	O
U	C	S	L	B	Y	R	D	T	C	N	E	S	T	U
V	A	T	U	D	I	E	P	E	A	A	D	B	N	N
Q	R	I	R	X	L	A	C	P	E	G	L	C	E	D
U	T	F	E	I	C	I	C	V	Y	D	M	W	S	W
W	T	Y	G	S	T	O	O	D	O	O	V	V	V	J
A	A	H	F	N	I	B	E	G	U	I	L	E	Q	R
K	T	H	E	J	W	E	T	A	N	I	C	S	A	F

ALLURE	DELIGHT	MYSTIFY
APPEAL	ENTICE	PLEASE
ATTRACT	ENTRANCE	SPELLBIND
BEGUILE	FASCINATE	SPELLBOUND
BEWITCH	GLADDEN	TICKLE
CAPTIVATE	IRRESISTIBLE	VOODOO
CHARMED	MAGICAL	

M	A	C	H	O	R	E	O	G	R	A	P	H	E	D
G	X	U	H	A	U	T	E	D	A	N	C	E	G	M
L	I	F	T	S	E	B	O	C	P	Q	C	R	K	A
A	A	S	T	V	N	T	K	U	P	A	A	H	L	F
N	T	W	M	D	T	S	N	F	R	C	V	L	F	D
A	L	X	M	I	E	S	K	A	E	D	E	A	R	U
Z	O	J	H	S	R	K	T	F	R	M	I	A	N	A
N	V	C	E	P	T	O	U	A	A	O	I	O	L	E
A	A	I	Z	L	A	L	I	N	T	L	C	O	N	N
R	L	R	M	A	I	V	D	R	L	E	I	I	A	L
A	Y	C	Y	Y	N	E	U	A	A	M	L	L	K	X
I	Z	L	I	P	M	B	G	M	E	N	M	Y	N	O
H	D	E	D	J	E	R	L	H	Z	A	A	U	G	U
C	A	N	A	T	N	A	R	A	I	H	C	C	J	K
K	R	S	U	F	T	R	E	N	T	R	A	P	Y	L

ALLEMANDE
ALMAIN
CANARIO
CHIARANTANA
CHIARANZANA
CHOREOGRAPHED
CIRCLE
CORANTE
DISPLAY
ENTERTAINMENT
GALLIARD
GRACEFUL
HAUTE DANCE
HEMIOLA
LAVOLTA
LIFTS
LINE
PARTNER
PAVANE
STATELY
TOURDION

Word Search 221 ________ TATTOO ART

E	F	L	N	N	O	I	T	I	D	A	R	T	X	C
L	X	I	A	U	R	S	S	E	Y	D	R	D	W	C
D	L	P	Y	S	A	D	Y	C	D	F	K	I	B	H
E	E	L	E	M	L	Y	Y	F	R	O	H	C	N	A
E	N	P	O	R	L	A	L	Y	Y	Z	P	V	F	R
N	L	A	P	A	T	O	I	L	S	S	K	I	N	A
H	N	B	U	O	W	I	F	T	C	W	O	A	D	C
V	O	T	I	E	L	N	S	C	I	S	H	E	E	T
D	I	R	R	L	O	Y	I	E	T	N	S	N	L	E
R	E	S	I	G	E	L	N	E	E	I	I	E	E	R
A	I	R	A	M	O	D	N	E	M	O	T	I	C	S
G	U	R	C	B	O	C	N	R	S	M	W	G	T	K
O	D	R	M	A	I	N	E	I	O	I	H	Y	R	V
N	E	Y	T	L	S	D	O	D	C	E	A	H	I	R
S	S	U	D	E	C	O	R	A	T	I	V	E	C	F

ANCHOR
CHARACTERS
COSMETICS
DECORATIVE
DERMIS
DRAGONFLY
DRAGONS
DYES
ELECTRIC
EXPERTISE
FLOWERS
HORIMONO
HYGIENE
INDELIBLE
INITIALS
NEEDLE
POLYNESIA
RITUAL
SACRED
SAMOAN
SKIN
STENCIL
SYMBOLIC
TRADITION
WOAD

E	N	R	Z	D	D	K	R	K	F	C	F	A	B	T
X	R	E	W	R	N	I	E	E	L	O	S	R	R	N
H	E	K	R	I	S	T	S	O	T	N	R	M	E	E
A	K	A	S	E	T	R	C	H	A	A	I	K	A	M
U	O	M	D	L	T	K	E	P	W	C	E	L	D	P
S	O	E	E	I	B	A	E	T	R	A	U	B	M	I
T	C	E	W	Z	S	C	R	O	S	T	S	G	A	U
F	E	F	O	K	U	H	W	G	A	A	R	H	K	Q
A	C	F	K	A	V	A	E	P	Q	I	M	G	E	E
N	I	O	S	A	V	B	S	S	L	Q	Y	X	R	R
V	R	C	P	E	R	C	O	L	A	T	O	R	I	X
R	E	K	A	M	M	A	E	R	C	E	C	I	V	M
G	R	I	D	D	L	E	O	I	A	T	R	A	Y	W
M	Y	Y	E	C	N	A	I	L	P	P	A	D	W	N
P	S	K	C	I	T	S	P	O	H	C	Z	I	H	W

APPLIANCE
BEATER
BREAD MAKER
CHOPSTICKS
CLOCK
COFFEE MAKER
DISHES
DISHWASHER
EQUIPMENT
EXHAUST FAN
FORK
GRATER
GRIDDLE
GRILL
ICE CREAM MAKER
KETTLE
MICROWAVE
MIXMASTER
PERCOLATOR
RICE COOKER
SAUCEPANS
SINK
SPATULA
TRAY
WHIZ
WOK

Word Search 223 ________ HORSERACE

C	M	F	O	R	M	G	U	I	D	E	T	A	J	S
T	O	H	S	G	N	O	L	G	A	T	E	R	A	G
P	U	L	O	T	U	R	F	C	L	U	B	D	O	S
K	H	D	T	P	W	E	I	G	H	T	D	M	E	T
L	D	O	Z	D	U	D	N	F	S	L	I	S	I	S
S	Y	P	T	K	C	I	V	G	E	L	R	M	K	R
H	L	X	F	O	L	S	N	F	N	O	I	L	C	B
S	L	K	K	R	S	T	R	O	H	I	I	A	Y	C
I	I	I	A	G	F	U	P	Q	B	S	C	A	R	A
N	F	E	Y	A	A	O	J	U	E	B	N	A	G	R
I	Y	T	E	L	S	V	T	I	N	O	I	A	R	N
F	B	R	K	L	H	P	K	T	S	T	I	R	C	I
H	K	A	C	O	I	O	Y	E	K	T	E	F	Y	V
H	V	C	O	P	O	O	E	C	A	P	Q	R	W	A
P	X	K	J	B	N	J	J	H	T	G	N	E	L	L

BOOKIE
BY A NOSE
CARNIVAL
COLT
FASHION
FILLY
FINISH
FORM GUIDE
GAIT
GALLOP
GATE
HORSES
JOCKEY
LENGTH
LONG SHOT
ODDS
OUTSIDER
PACE
PHOTO
PUNTER
RACING
RAILS
RIBBON
SADDLE
SILKS
TRACK
TROT
TURF CLUB
WEIGHT
YEARLING

Solutions

1

2

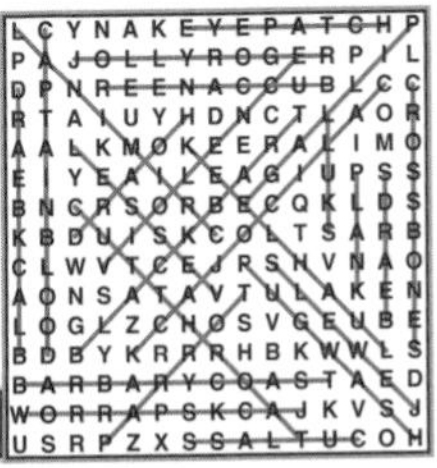

3

4

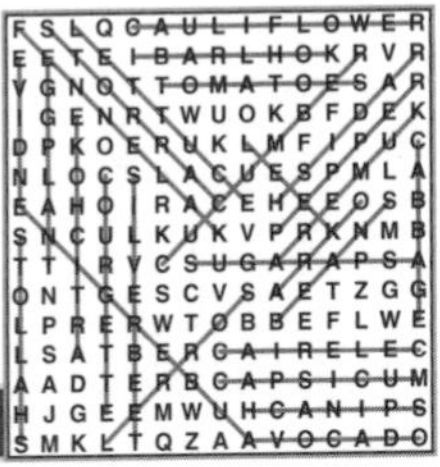

5

6

Solutions

7

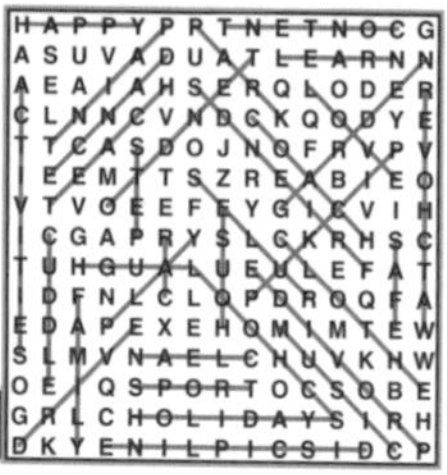

8

9

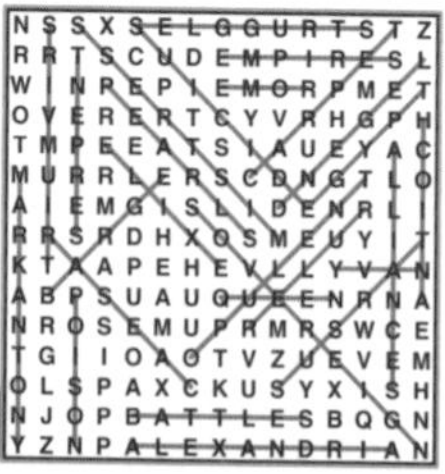

10

11

12

13

14

Solutions

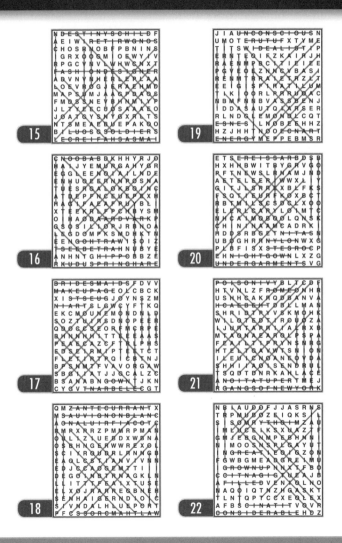

15

N	D	E	S	T	I	N	Y	S	C	H	I	L	D	F
A	E	I	W	I	R	E	T	I	R	W	G	N	O	S
C	H	O	S	R	N	O	B	F	P	B	N	I	N	S
I	G	R	X	O	O	G	M	I	O	E	W	Y	I	V
R	P	G	C	Y	N	V	L	W	H	W	C	N	X	T
F	A	S	H	I	O	N	D	E	S	I	G	N	E	R
A	D	V	N	Y	N	H	E	R	L	E	P	L	A	A
L	O	E	V	R	O	G	J	E	R	A	E	H	M	D
M	A	P	S	U	M	J	A	A	G	P	D	A	O	S
F	M	D	S	S	N	E	Y	B	H	N	M	I	Y	P
J	L	T	Y	E	E	C	U	O	S	A	A	A	E	O
J	O	A	T	G	Y	S	N	Y	G	X	R	L	T	S
N	T	S	M	E	A	E	B	U	E	P	A	K	O	O
B	I	L	U	O	S	G	S	O	L	D	I	E	R	S
L	E	C	R	E	I	F	A	H	S	A	S	M	A	I

16

C	N	O	O	B	A	B	D	K	H	H	Y	R	J	O
H	A	I	J	Y	E	M	U	R	G	A	H	Y	G	R
E	G	G	L	E	E	N	O	I	A	I	L	N	D	E
E	N	H	U	O	E	E	R	N	N	R	O	S	N	A
T	U	E	S	R	G	A	L	O	K	B	O	I	N	C
A	T	D	E	P	F	N	C	E	U	E	P	E	X	H
H	A	G	I	F	A	E	A	F	R	U	Y	B	L	I
X	T	E	E	K	R	L	F	P	C	H	B	Y	S	M
O	I	H	A	O	D	A	A	R	D	V	A	R	K	P
G	S	O	S	I	L	I	O	P	J	R	B	N	O	A
L	E	G	D	O	M	P	K	S	M	D	H	K	T	N
E	E	N	G	O	H	T	R	A	W	I	S	O	I	Z
T	S	E	E	B	E	T	R	A	H	N	U	B	Y	E
A	N	H	N	T	G	H	I	P	P	O	B	B	Z	E
R	K	U	D	U	S	P	R	I	N	G	H	A	R	E

17

B	R	I	D	E	S	M	A	I	D	S	F	D	V	V
M	A	K	E	U	P	A	G	E	O	L	C	B	C	K
X	I	S	T	S	E	U	G	J	O	Y	N	S	Z	M
N	I	A	R	T	S	L	G	W	C	Y	F	T	K	Q
E	K	C	M	O	U	N	E	M	O	N	D	N	L	D
S	O	Z	T	U	I	R	S	D	N	O	P	E	E	R
Q	D	O	C	C	S	E	O	R	F	M	C	R	P	E
B	H	N	N	H	H	I	T	T	E	E	E	A	A	S
P	E	A	E	C	A	Z	C	F	T	R	L	P	H	S
E	D	S	E	I	R	M	I	P	T	E	E	T	C	T
F	L	E	T	I	R	T	P	Q	I	C	B	T	N	J
B	P	S	N	M	T	F	V	A	V	O	R	G	A	W
S	B	G	I	I	A	T	J	J	G	C	A	L	Z	C
B	S	A	N	A	B	N	G	O	W	N	T	J	K	N
C	Y	G	V	T	N	A	R	B	E	L	E	C	G	T

18

Q	M	Z	A	N	T	E	C	U	R	R	A	N	T	X
M	S	A	U	V	I	G	N	O	N	B	L	A	N	C
A	O	N	A	L	U	I	R	F	I	A	C	O	T	C
R	M	R	X	R	R	Z	P	M	M	R	P	M	A	N
O	U	L	I	Z	I	U	E	B	D	X	W	B	N	A
O	S	B	H	N	G	E	R	W	W	R	E	X	O	L
S	C	I	Y	R	O	U	D	R	L	R	N	N	G	B
E	A	O	L	C	S	T	I	A	N	V	I	V	N	N
E	D	J	C	C	A	O	G	E	M	T	T	I	I	I
D	E	G	O	I	N	B	T	R	N	A	G	K	L	N
L	L	I	T	T	T	F	E	A	I	X	T	U	S	E
E	L	X	O	J	R	A	R	R	E	G	B	N	E	H
S	E	N	H	A	I	G	E	R	N	D	I	O	I	C
S	I	V	N	D	A	L	H	L	U	E	P	O	R	T
P	F	C	S	S	O	R	C	M	A	H	T	L	A	W

19

J	I	A	U	N	C	O	N	S	C	I	O	U	S	N
U	M	O	T	E	R	U	T	U	F	X	T	Y	M	E
T	I	T	S	W	I	D	E	A	L	I	S	T	I	P
E	R	N	T	E	O	I	F	Z	K	A	I	R	J	H
R	A	E	N	M	P	B	C	I	T	I	E	I	E	E
P	G	V	E	O	E	Z	N	N	C	V	B	A	S	I
R	E	N	M	T	R	R	A	I	E	T	R	Z	L	T
E	E	I	G	I	S	F	I	R	A	T	I	L	U	M
T	I	K	I	O	O	R	L	R	R	R	U	O	A	C
N	B	M	F	N	N	B	V	A	S	S	B	E	N	J
I	D	D	A	S	A	U	T	Q	I	A	R	S	E	R
R	L	N	D	G	L	E	M	O	N	D	L	C	Q	T
E	S	N	E	S	I	L	N	O	B	E	E	H	H	Z
H	Z	J	H	H	T	N	O	O	E	C	N	A	R	T
E	N	E	R	G	Y	M	E	P	P	E	B	M	S	R

20

E	T	S	E	R	E	I	S	S	A	R	B	D	S	B
H	X	H	N	B	W	I	T	B	Y	G	R	V	G	O
R	F	T	N	E	W	S	L	R	N	A	M	J	N	D
A	E	T	E	L	E	E	R	I	W	W	X	L	I	Y
G	I	T	J	L	S	R	R	E	X	B	L	F	K	S
F	S	Q	T	I	E	U	R	F	K	O	X	B	C	T
R	B	T	M	I	L	S	C	S	D	C	L	X	O	O
E	L	E	R	L	C	A	R	Y	L	O	I	M	T	C
N	H	C	A	I	M	O	B	O	O	L	Q	N	S	K
C	H	I	N	I	N	A	A	M	C	A	D	R	K	I
H	D	D	S	R	B	G	E	T	N	I	T	A	S	N
U	B	O	G	H	R	R	N	Y	L	O	N	W	X	G
P	L	B	F	I	S	X	S	T	E	S	R	O	C	P
E	H	N	I	G	H	T	G	O	W	N	L	X	Z	G
U	N	D	E	R	G	A	R	M	E	N	T	S	V	G

21

P	O	I	S	O	N	I	V	Y	B	L	T	C	D	F
H	T	V	N	L	Z	F	R	O	M	E	O	N	H	R
U	S	H	H	C	A	K	R	Q	D	B	A	N	V	A
H	C	A	E	B	E	H	T	D	B	L	L	M	A	N
S	H	R	I	D	T	R	Y	V	S	K	M	O	H	K
W	I	L	O	T	E	D	T	I	R	O	U	O	Z	A
I	J	U	R	T	A	R	R	I	I	A	L	R	X	B
M	T	A	O	N	A	E	A	R	O	L	P	S	P	A
F	E	A	I	L	T	I	P	R	Y	N	S	N	R	G
H	T	E	L	T	G	A	V	W	T	S	N	I	O	N
I	L	E	U	I	C	N	O	A	N	E	O	Y	D	A
S	H	H	I	I	A	O	I	S	E	N	D	R	U	L
T	S	Q	D	T	D	N	R	K	A	H	L	A	C	E
A	N	O	I	T	A	T	U	P	E	R	T	M	E	J
R	G	A	N	G	S	O	F	N	E	W	Y	O	R	K

22

N	B	I	A	U	D	O	F	J	J	A	S	R	N	S
T	R	P	M	U	B	O	Z	E	I	Q	K	S	I	L
S	I	S	O	M	R	Y	T	H	G	I	M	Z	A	U
I	M	L	U	C	E	I	K	S	X	U	A	Z	T	F
G	M	J	E	B	G	N	M	P	E	B	H	N	N	I
N	I	M	O	O	S	N	S	P	L	G	A	Y	U	T
I	N	G	R	E	A	T	I	E	O	I	G	Z	O	N
F	G	W	B	G	M	E	A	D	G	R	E	I	M	U
I	G	R	O	W	N	U	P	N	N	X	T	F	B	O
C	C	I	T	N	A	G	I	G	T	U	E	A	J	B
A	F	I	L	L	E	D	V	E	N	I	O	L	N	O
N	A	Q	O	I	Q	T	N	Z	H	G	A	S	K	T
T	L	N	T	Q	P	T	C	C	X	E	O	L	E	X
A	F	B	S	C	I	N	A	T	I	T	V	O	V	R
C	O	N	S	I	D	E	R	A	B	L	E	H	D	Z

Solutions

23

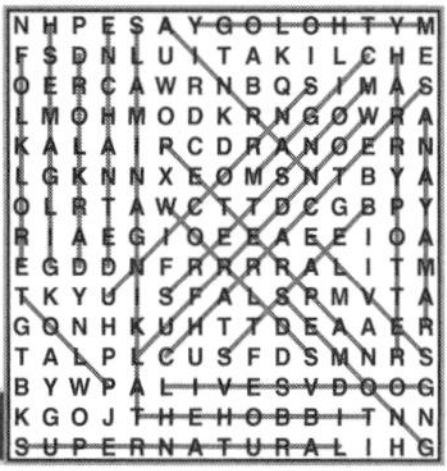

27

24

28

25

29

26

30

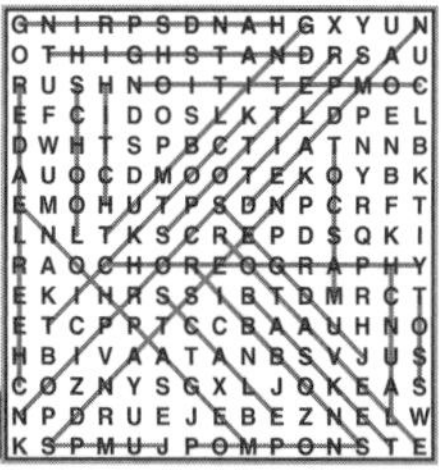

Solutions

31

32

33

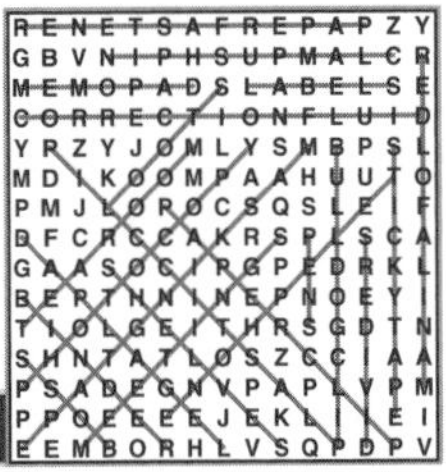

34

35

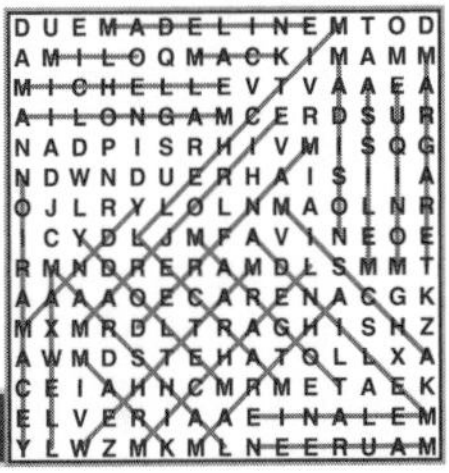

36

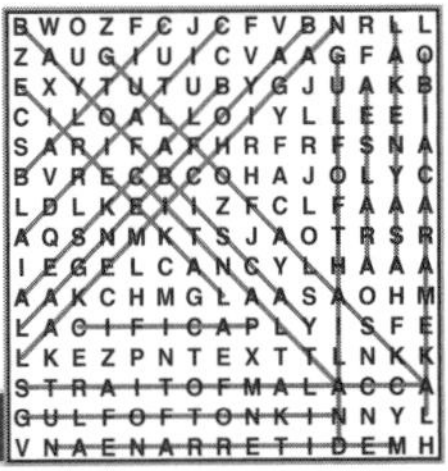

37

38

Solutions

39

40

41

42

43

44

45

46

47

48

49

50

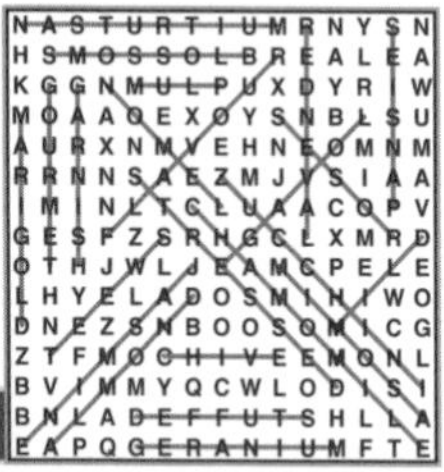

51

52

53

54

Solutions

55

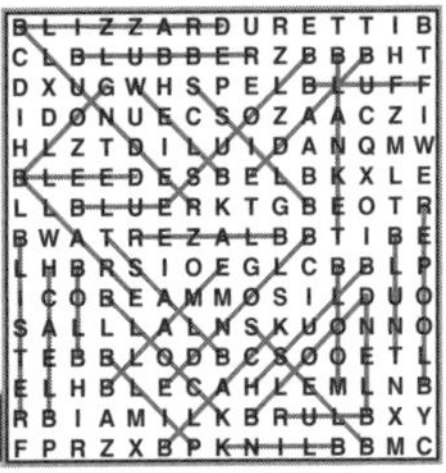

56

57

58

59

60

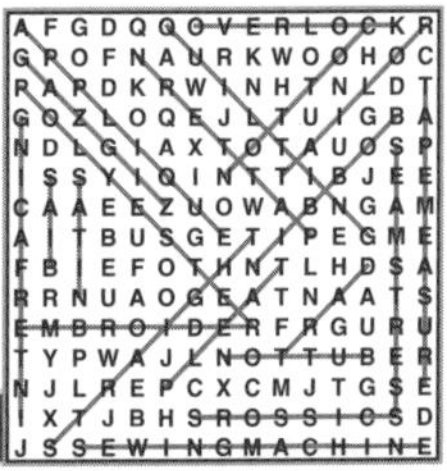

61

62

63

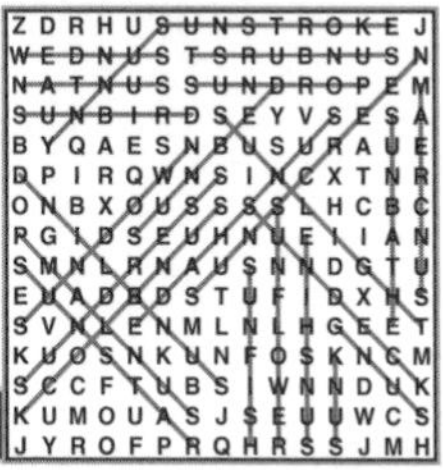

64

65

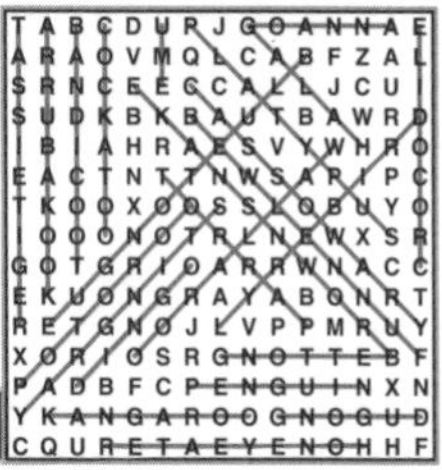

66

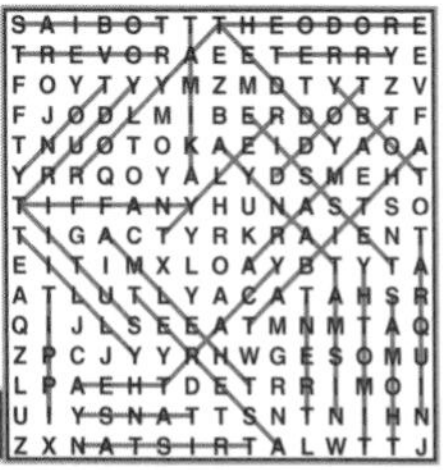

67

68

69

70

Solutions

71

72

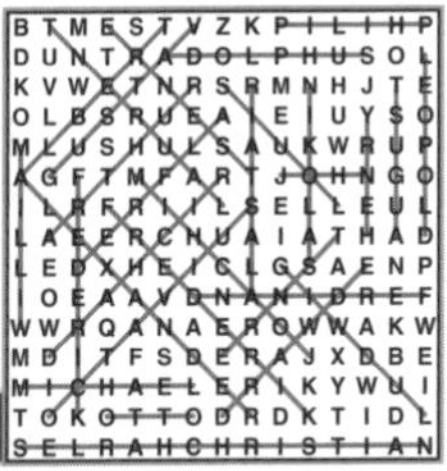

73

74

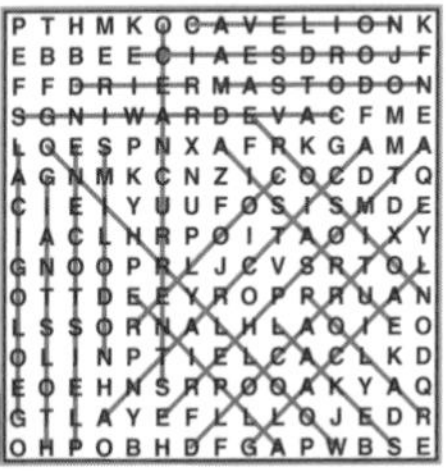

75

76

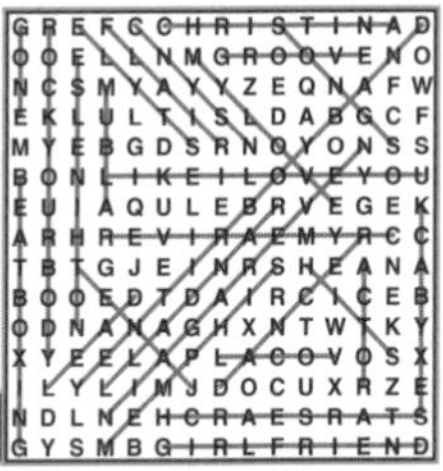

77

78

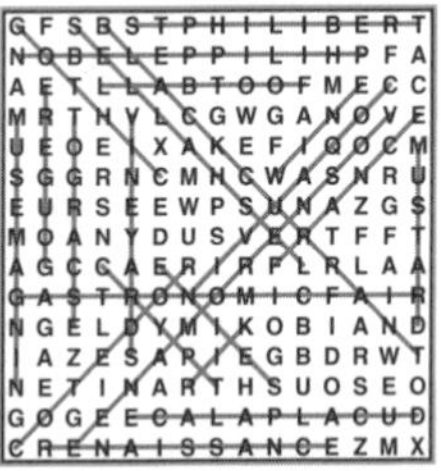

79

80

81

82

83

84

85

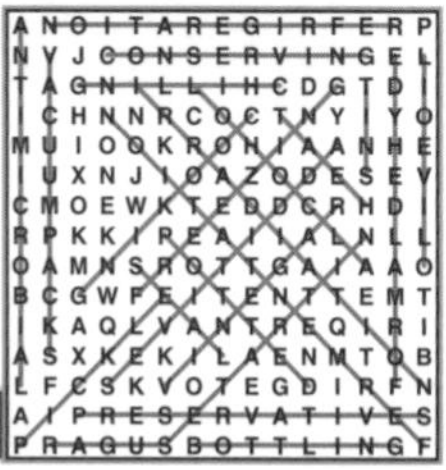

86

Solutions

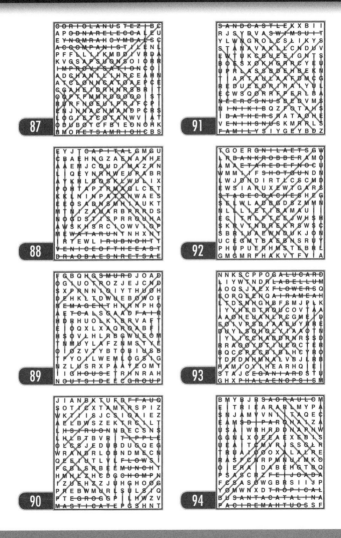

87

C	O	R	I	O	L	A	N	U	S	T	E	Z	I	B	C
A	P	O	D	N	A	R	E	L	E	C	C	A	L	E	U
E	Y	N	O	M	R	A	H	C	Y	M	B	A	L	S	C
A	C	C	O	M	P	A	N	I	S	T	I	L	E	N	L
P	F	F	L	L	I	I	K	M	B	D	I	V	R	D	A
K	V	G	S	A	P	S	U	O	N	S	O	I	O	R	R
I	M	P	R	O	V	I	S	A	T	I	O	N	C	O	I
A	D	C	H	A	N	I	L	I	H	R	C	E	A	H	N
A	T	C	L	O	N	N	C	A	T	O	A	E	P	C	E
C	G	A	H	E	I	D	R	H	N	R	S	B	R	I	T
O	O	P	T	F	M	M	R	D	O	O	O	O	I	S	T
R	U	R	F	N	O	E	U	I	P	R	J	F	C	P	I
E	N	J	N	N	A	C	N	M	A	N	D	P	C	R	S
L	O	G	I	E	T	C	O	T	A	N	W	V	I	A	T
O	D	U	B	O	T	C	F	B	I	E	O	N	O	H	K
B	M	O	R	E	T	S	A	M	R	I	O	H	C	B	S

88

E	Y	J	T	C	A	P	I	T	A	L	G	M	G	U
C	B	A	E	H	N	G	Z	A	E	N	A	N	H	E
A	A	E	M	J	C	O	U	D	I	M	A	Z	R	N
L	I	Q	E	Y	N	R	H	W	E	U	R	A	B	R
A	Y	K	H	L	B	O	S	K	L	W	U	L	I	X
P	O	H	T	A	P	T	R	M	A	Q	L	C	E	T
K	K	L	N	I	N	P	A	T	S	N	W	A	E	S
E	E	O	S	A	D	N	S	M	H	I	A	U	K	T
M	T	N	I	Z	A	U	A	R	B	P	R	R	D	S
N	O	G	D	S	T	I	S	P	R	R	O	U	H	A
A	W	S	K	H	S	R	C	I	O	W	V	I	O	P
M	E	W	A	T	A	R	U	N	T	N	H	X	N	T
I	R	T	E	W	L	I	R	U	B	N	O	H	T	T
V	E	N	I	C	E	O	F	T	H	E	E	A	S	T
D	R	A	O	B	A	E	S	N	R	E	T	S	A	E

89

F	G	B	Q	H	G	S	M	U	R	D	J	O	A	D
O	G	I	U	O	T	R	O	Z	J	E	J	C	N	D
S	X	P	R	N	N	I	O	I	Y	T	H	U	O	H
D	E	H	K	L	T	D	W	U	E	B	O	W	O	F
N	E	M	A	G	E	N	T	H	N	R	N	P	H	O
A	E	T	C	A	L	S	G	A	A	D	F	A	I	R
H	D	R	H	U	O	L	K	I	B	R	V	A	F	T
E	I	O	Q	X	L	X	A	Q	R	O	A	B	F	I
H	S	O	V	L	H	L	R	B	G	W	U	E	O	M
T	N	M	U	Y	L	A	F	Z	N	M	S	T	Y	E
O	I	O	Z	V	T	Y	B	T	O	B	I	U	S	B
T	F	Y	O	I	L	W	E	M	L	O	G	S	I	G
N	Z	L	U	S	R	X	P	A	A	Y	E	O	M	T
I	I	G	H	O	U	S	E	T	R	H	N	R	A	H
N	O	U	T	S	I	D	E	E	C	G	R	O	U	P

90

J	I	A	N	B	K	T	U	F	D	F	F	A	U	Q
S	O	T	I	C	X	T	A	M	F	R	S	P	I	Z
W	K	T	I	I	S	J	C	S	I	O	A	I	E	Z
A	E	L	B	W	S	Z	E	K	T	R	C	I	L	T
L	H	S	I	R	U	O	N	N	D	E	C	S	N	S
L	H	L	B	T	B	V	R	I	T	I	P	P	L	E
O	L	C	S	J	E	D	U	B	D	U	G	Q	E	G
W	R	A	N	B	R	L	O	B	N	D	M	E	C	N
Q	E	E	I	U	T	L	V	L	F	L	O	W	S	I
F	C	B	L	S	R	B	E	E	M	U	N	C	H	T
H	M	H	L	Z	H	C	D	G	C	H	O	M	P	N
I	Z	U	E	H	Z	Z	J	U	H	G	H	O	O	G
P	R	E	B	W	M	U	R	L	S	U	L	S	I	Q
P	T	E	G	R	O	G	G	P	I	L	H	W	Z	V
M	A	S	T	I	C	A	T	E	P	G	S	H	N	T

91

S	A	N	D	C	A	S	T	L	E	K	X	B	I	I
R	J	S	Y	D	V	A	S	W	I	M	S	U	I	T
Y	L	W	N	G	R	O	L	C	S	L	I	K	Y	S
S	T	A	N	A	V	A	K	L	L	C	N	D	U	V
E	W	T	U	K	C	B	U	E	E	I	G	N	T	S
B	O	E	S	X	O	K	H	G	R	R	C	Y	E	U
U	P	R	L	A	S	S	B	D	E	H	B	E	K	N
T	I	A	R	T	A	U	L	A	A	F	D	M	C	G
R	E	D	U	E	E	O	R	I	R	A	I	Y	U	L
E	C	W	S	Q	O	R	R	F	P	E	R	L	B	A
N	E	E	R	C	S	N	U	S	B	E	D	V	M	S
N	I	N	I	K	I	B	Q	Z	F	O	T	A	H	S
I	B	A	T	H	E	R	S	R	A	T	A	O	H	E
V	E	N	I	H	S	N	U	S	K	M	R	R	L	S
F	A	M	I	L	Y	S	I	Y	G	E	Y	B	D	Z

92

T	G	O	E	R	G	N	I	L	A	E	T	S	G	W
L	R	B	A	N	K	R	O	B	B	E	R	A	M	O
A	M	A	E	T	A	R	E	D	E	F	N	O	C	U
W	M	M	I	I	F	S	H	O	T	G	U	N	D	N
L	W	J	D	N	D	I	R	T	L	C	S	C	M	D
E	W	S	I	A	R	U	X	E	W	T	G	A	R	S
S	T	A	G	E	C	O	A	C	H	E	S	H	E	G
S	E	L	W	L	A	D	B	G	D	S	Z	M	M	N
N	L	L	L	I	E	T	I	B	A	M	A	U	I	I
E	C	I	T	R	L	F	T	C	E	J	W	H	S	H
S	K	R	V	T	N	D	R	E	K	R	S	W	S	C
S	B	R	I	U	A	E	W	N	D	U	K	J	O	N
U	C	E	G	M	T	B	A	E	B	N	S	R	U	Y
P	H	U	P	U	E	R	H	M	S	T	E	B	R	L
G	M	G	M	R	F	H	A	K	V	T	F	V	I	A

93

N	N	K	S	C	P	P	O	G	A	L	U	C	A	R	D
L	I	Y	W	T	N	D	R	L	A	B	E	L	L	U	M
A	O	Q	S	J	A	E	X	F	L	O	W	E	R	S	Q
E	O	R	Q	E	E	N	Q	A	I	R	A	M	E	A	H
L	T	D	S	N	H	G	H	B	F	S	M	J	P	L	K
I	Y	Y	H	E	B	T	R	O	U	C	O	V	T	A	A
A	A	O	H	E	U	A	N	L	R	C	G	M	E	I	D
E	O	I	V	R	S	D	I	A	A	E	U	Y	R	R	E
D	U	Y	L	S	O	H	O	L	Y	I	A	A	O	T	N
I	Y	L	I	C	C	H	A	B	D	R	N	R	S	S	D
R	R	A	O	O	Y	D	T	I	U	E	O	C	T	E	R
B	Q	C	C	R	E	C	B	I	B	L	H	C	Y	R	O
Y	D	R	D	N	H	M	N	A	L	V	B	J	L	R	B
H	A	M	I	O	Y	I	H	E	A	R	H	Q	I	E	I
S	T	A	J	C	E	G	A	N	I	A	R	D	S	T	U
G	H	X	P	H	A	L	A	E	N	O	P	S	I	S	M

94

B	M	Y	B	J	R	S	A	O	R	A	U	L	O	M
E	I	T	R	I	E	A	R	A	R	L	M	Y	P	A
S	N	J	A	M	V	V	N	I	I	T	A	Q	E	C
E	A	M	S	D	I	P	A	R	O	H	A	I	Z	A
U	S	A	I	W	R	H	R	D	D	N	A	P	N	W
G	G	N	L	X	O	E	E	A	E	X	E	B	I	S
U	E	A	I	T	C	M	V	R	J	S	S	G	L	R
T	R	U	A	I	O	O	O	X	A	L	A	L	R	E
R	A	S	F	C	N	R	P	M	N	U	I	M	K	O
O	I	E	R	A	I	D	A	B	E	H	G	T	B	Q
P	S	A	S	C	R	Z	F	E	I	J	O	A	D	A
F	C	S	A	S	O	W	G	B	R	S	I	I	J	P
Y	O	M	W	N	X	D	T	R	O	P	I	C	A	L
B	U	S	A	N	T	A	C	A	T	A	L	I	N	A
P	A	C	I	R	E	M	A	H	T	U	O	S	S	F

95

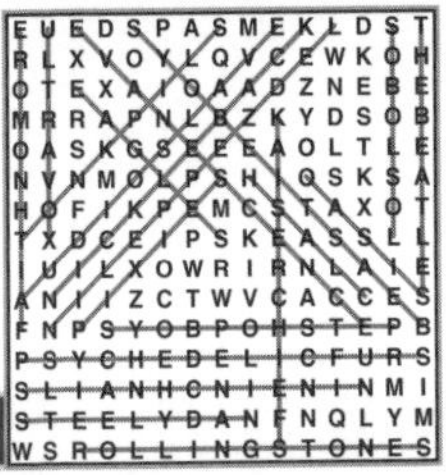

96

97

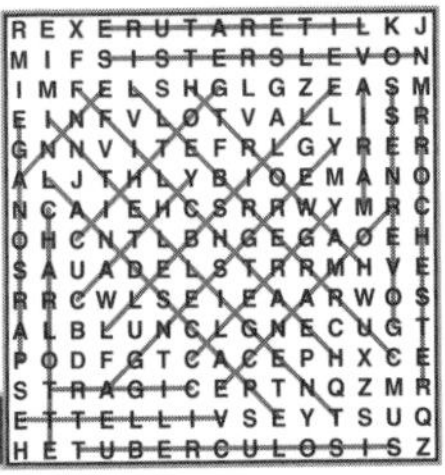

98

99

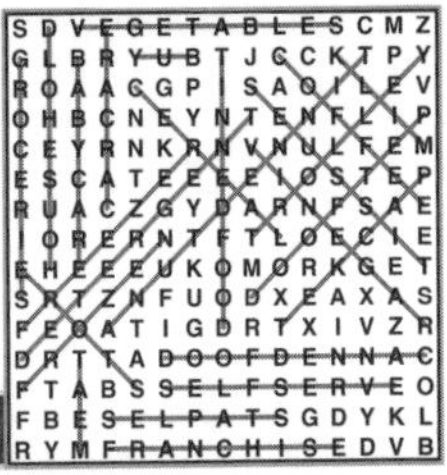

100

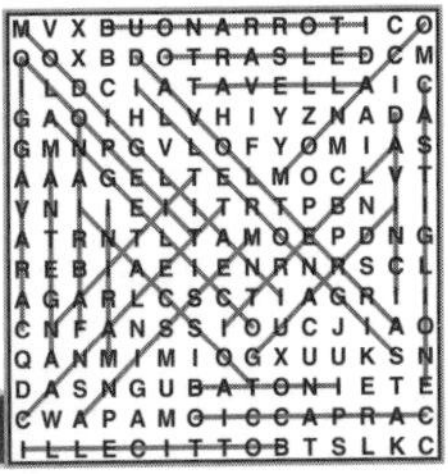

101

102

Solutions

103

104

105

106

107

108

109

110

111

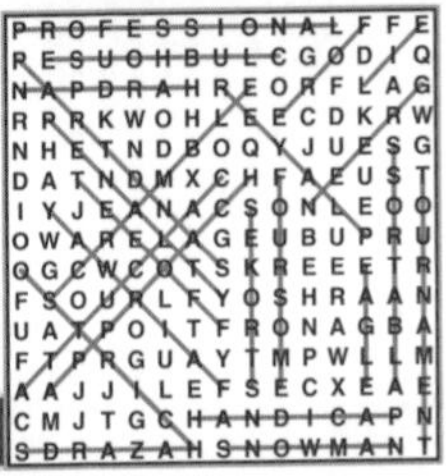

112

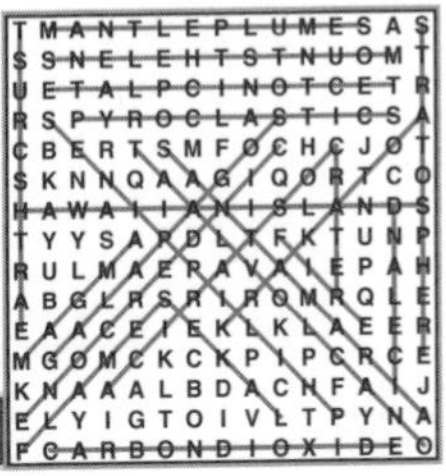

113

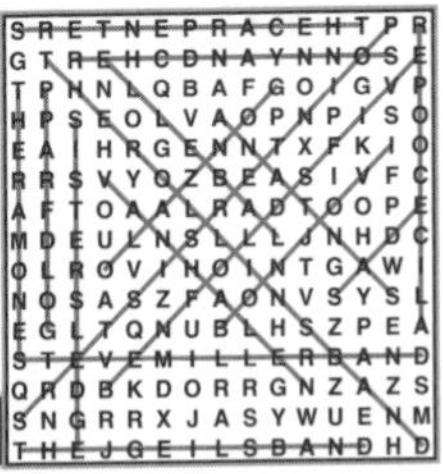

114

115

116

117

118

Solutions

119

123

120

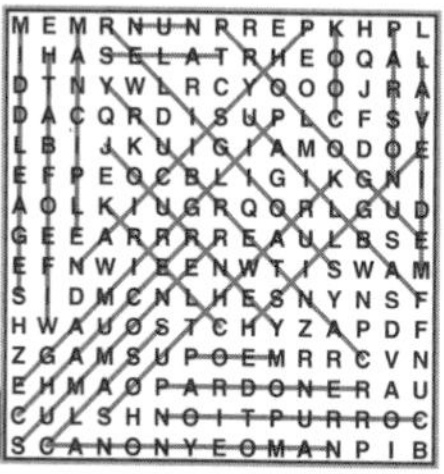

124

121

125

122

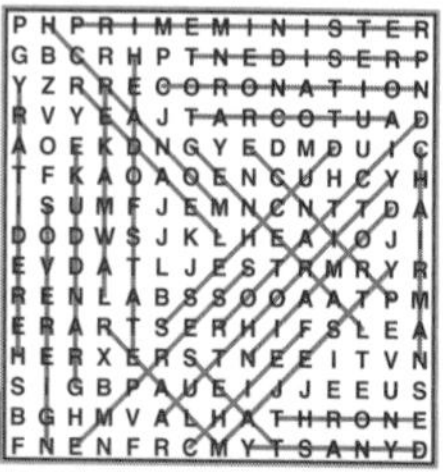

126

Solutions

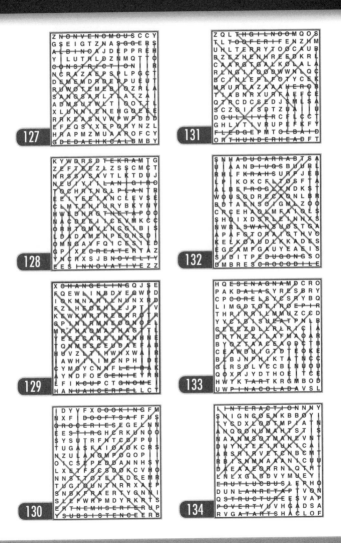

127

Z	N	O	N	V	E	N	O	M	O	U	S	C	C	Y
G	S	E	I	G	T	Z	N	A	S	G	G	E	R	S
A	L	B	I	N	O	A	J	D	E	P	P	R	E	H
Y	I	L	U	T	R	L	D	Z	N	M	Q	T	T	O
C	O	N	S	T	R	I	C	T	I	O	N	I	I	R
N	C	R	A	Z	A	E	P	S	P	L	P	G	C	T
D	E	M	E	M	D	R	D	E	P	P	U	E	U	T
R	U	W	O	T	E	M	E	B	I	O	Z	R	L	A
S	A	N	G	S	A	R	L	T	L	A	T	Z	A	I
A	D	M	S	U	T	W	L	T	I	O	O	T	T	L
X	L	U	N	N	I	E	N	E	H	G	O	E	E	E
R	R	K	E	A	S	N	V	W	P	W	P	D	D	D
E	F	E	Q	S	Y	X	E	P	O	R	Y	N	Z	L
H	R	A	P	M	Z	M	U	A	A	R	O	F	C	Y
G	D	E	D	A	E	H	K	C	A	L	B	M	B	Y

131

Z	Q	L	T	H	G	I	L	N	O	O	M	Q	O	S
T	L	T	O	O	F	E	R	I	F	E	N	Z	H	M
U	H	L	T	E	R	R	Y	T	O	O	C	A	U	B
B	Z	E	Z	H	E	N	H	R	E	E	D	K	R	L
C	A	A	R	G	T	G	A	L	K	O	L	A	L	A
R	L	N	G	I	I	O	O	D	W	W	N	L	Q	C
B	C	I	N	L	E	P	L	F	O	T	Y	C	E	K
M	R	U	R	E	A	Z	A	A	A	H	E	R	O	B
T	I	A	B	N	R	X	U	R	F	A	E	F	C	E
Q	T	R	C	D	C	S	E	D	J	S	M	L	S	A
S	C	Z	G	I	I	S	D	T	Z	U	A	I	I	U
D	G	U	L	L	I	V	E	R	C	F	L	C	C	T
G	H	L	V	T	I	V	R	U	P	E	F	K	F	Y
F	L	E	D	G	E	P	M	T	O	L	B	A	I	D
O	R	T	H	U	N	D	E	R	H	E	A	D	F	T

128

K	Y	W	D	R	S	D	T	E	K	R	A	M	T	G
Z	E	F	T	E	E	Z	L	Z	S	S	C	M	C	T
N	R	S	S	V	S	A	V	T	L	K	T	D	U	J
N	E	U	I	Y	I	I	L	A	N	I	G	I	R	O
T	O	C	H	R	T	N	G	L	P	L	A	N	T	R
E	E	I	T	E	E	I	A	N	C	L	E	V	S	E
C	L	M	T	E	N	I	U	R	Y	B	K	Y	N	V
H	W	E	D	N	R	G	T	N	E	T	A	P	O	O
N	A	C	D	E	E	I	I	C	E	V	M	K	C	C
O	R	H	T	O	M	V	L	N	C	G	I	B	I	S
L	D	A	D	A	M	E	N	P	E	O	N	S	D	I
O	M	N	G	A	V	F	Q	I	C	E	S	I	E	D
G	P	I	X	E	C	R	E	A	T	E	R	T	A	Z
Y	N	C	R	X	S	J	B	N	O	V	E	L	T	Y
E	E	S	I	N	N	O	V	A	T	I	V	E	Z	Z

132

S	N	H	A	D	U	C	A	R	R	A	B	T	S	A
U	I	A	A	N	D	I	U	Q	S	B	U	U	R	L
R	H	L	F	K	R	A	H	S	U	R	P	J	E	B
L	P	I	K	O	K	C	F	L	T	O	S	F	T	A
A	L	B	E	F	R	O	G	L	T	N	D	K	S	T
W	O	U	S	G	D	R	E	C	A	O	N	L	B	R
B	D	T	A	E	N	S	O	I	G	M	L	Z	O	O
C	R	C	E	H	A	O	L	M	F	A	I	O	L	S
S	H	O	I	X	D	S	P	L	E	I	N	N	X	S
N	W	R	L	S	W	A	N	S	U	O	S	T	G	A
A	P	A	F	G	T	O	R	A	I	G	T	H	V	O
K	E	L	K	O	A	U	D	L	K	K	A	D	E	S
E	G	C	A	M	F	G	A	U	Y	E	A	E	I	S
S	U	D	I	T	P	E	D	U	G	O	N	G	S	O
D	M	B	R	E	S	C	R	O	C	O	D	I	L	E

129

X	C	H	A	N	G	E	L	I	N	G	Q	J	S	E
F	Q	E	W	L	I	N	B	D	Y	E	Q	W	P	D
I	O	K	M	N	A	R	I	L	N	U	N	X	R	D
F	Z	L	H	E	O	E	H	L	E	J	P	T	I	V
K	E	W	K	W	R	T	R	E	B	R	R	O	T	R
G	P	I	N	L	R	M	N	E	O	O	N	O	E	L
M	R	I	H	A	O	M	A	T	H	A	G	T	T	L
Y	E	E	E	C	A	R	E	I	M	T	N	H	N	E
T	Q	N	M	B	S	C	E	U	D	A	E	F	A	B
H	U	V	Z	L	T	I	H	W	H	X	W	A	I	R
I	A	W	H	I	I	I	M	C	N	P	H	I	D	E
C	Y	M	O	Y	C	N	N	F	L	E	I	R	A	K
A	Y	N	D	F	O	E	G	E	N	I	E	Y	R	N
L	F	I	K	C	U	P	C	T	G	N	O	M	E	I
H	A	N	U	A	H	C	E	R	P	E	L	L	C	T

133

H	Q	E	S	E	N	A	G	N	A	M	D	C	R	O
P	A	K	D	A	L	A	S	Y	R	E	S	B	R	Y
C	P	C	O	R	E	L	S	Y	C	S	R	Y	B	Q
L	I	M	G	D	T	O	E	I	R	O	E	P	I	R
T	H	R	I	R	R	I	L	M	M	U	Z	C	C	D
Y	Y	C	I	B	I	S	U	E	A	T	P	N	L	B
C	E	E	E	Z	D	L	L	R	L	R	I	C	I	A
D	R	T	N	E	Z	I	L	A	F	M	A	O	A	R
B	Y	O	Z	T	A	A	C	E	A	O	D	C	T	B
C	E	A	W	D	U	I	G	T	D	T	E	O	K	E
B	L	B	J	N	P	H	I	K	T	A	T	N	C	C
G	L	R	S	O	L	V	C	C	B	L	N	U	O	U
Q	O	X	R	J	Y	D	T	H	O	E	I	T	C	E
H	W	T	K	T	A	R	T	K	R	G	M	B	O	D
U	W	P	I	N	A	C	O	L	A	D	A	V	S	L

130

I	D	Y	V	F	X	C	O	O	K	I	N	G	F	M
N	X	F	I	D	O	O	F	T	S	A	F	F	U	S
G	R	O	C	E	R	I	E	S	E	G	E	L	N	N
E	E	S	T	I	R	G	H	C	R	K	U	N	O	O
S	Y	S	U	T	R	F	N	T	C	B	F	P	U	I
T	U	G	A	S	F	A	I	O	A	O	K	C	R	S
N	Z	U	L	A	N	O	M	P	O	Q	O	P	I	I
O	I	C	S	E	P	E	D	D	A	N	N	H	S	V
L	X	E	T	F	S	C	S	D	O	K	C	V	H	O
N	N	S	T	T	O	T	E	I	E	D	C	E	M	R
T	U	G	I	O	U	N	T	N	R	R	X	A	E	P
S	N	B	K	F	R	A	E	R	T	Y	G	N	N	I
S	L	E	F	W	R	P	M	D	Y	R	K	R	T	S
E	R	T	N	E	M	H	S	E	R	F	E	R	U	P
Y	S	U	B	S	I	S	T	E	N	C	E	E	R	B

134

I	I	N	T	E	R	A	C	T	I	O	N	N	N	Y
S	N	I	G	N	C	O	E	N	K	B	B	O	Y	I
T	Y	C	D	X	L	O	D	T	M	P	I	A	T	N
A	N	Q	O	O	N	U	M	A	H	T	S	T	I	S
N	A	A	N	M	S	O	T	M	A	N	E	V	N	T
D	U	Y	N	T	E	E	I	R	U	K	I	C	A	I
A	R	S	R	I	R	V	E	T	C	N	B	C	M	T
R	B	I	S	N	M	N	A	A	A	N	I	C	U	U
D	A	E	A	A	E	O	R	R	N	L	Q	T	H	T
L	N	L	X	G	L	B	D	V	Y	M	U	E	Y	I
E	R	U	T	L	U	C	B	U	S	L	E	P	H	O
D	U	N	L	A	N	R	E	T	A	P	T	V	O	N
Q	S	T	R	U	C	T	U	R	E	E	S	V	A	P
P	O	V	E	R	T	Y	U	V	H	G	A	D	S	A
R	V	G	A	T	A	R	T	S	H	A	C	L	O	F

Solutions

135

136

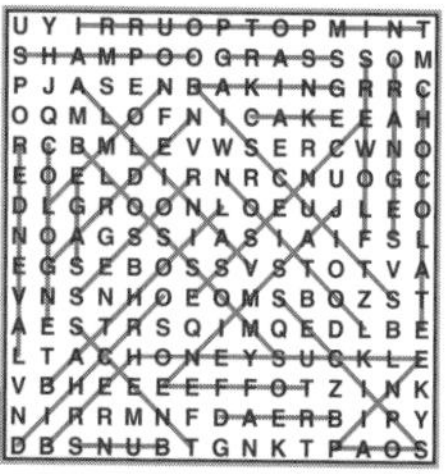

137

138

139

140

141

142

143

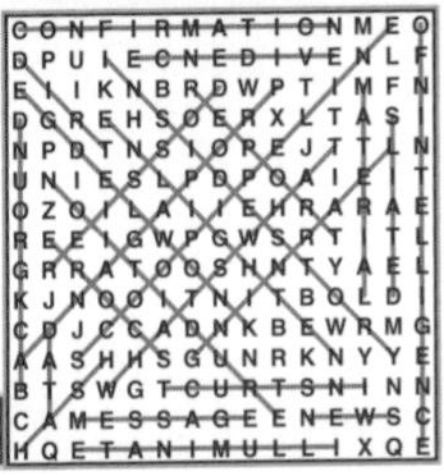

144

145

146

147

148

149

150

Solutions

151

152

153

154

155

156

157

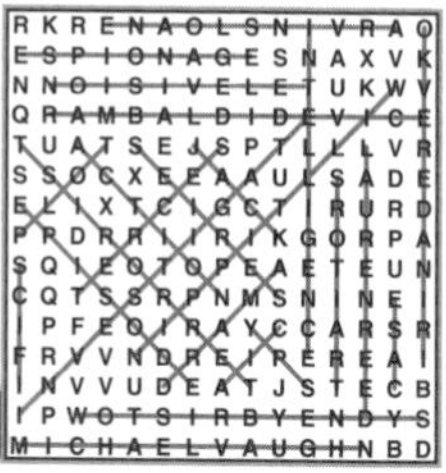

158

159

160

161

162

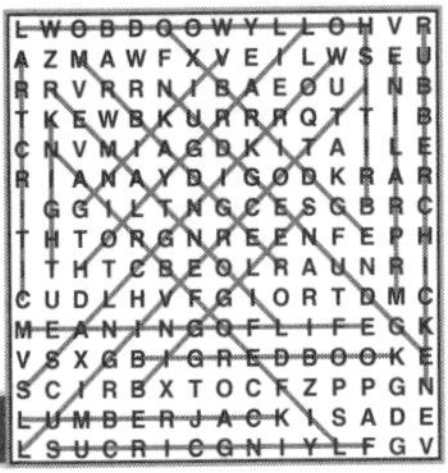

163

164

165

166

Solutions

167

168

169

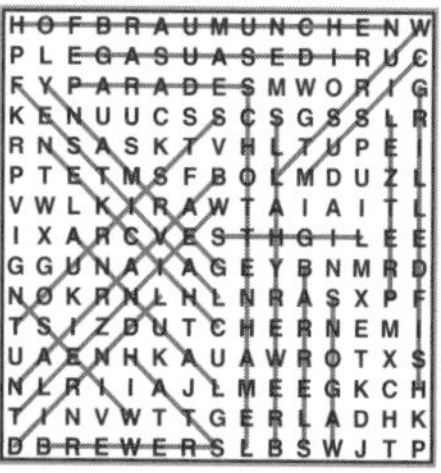

170

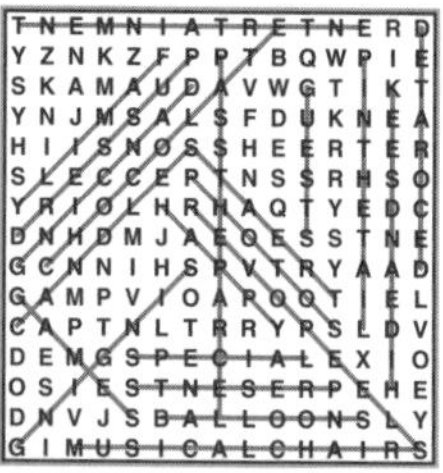

171

172

173

174

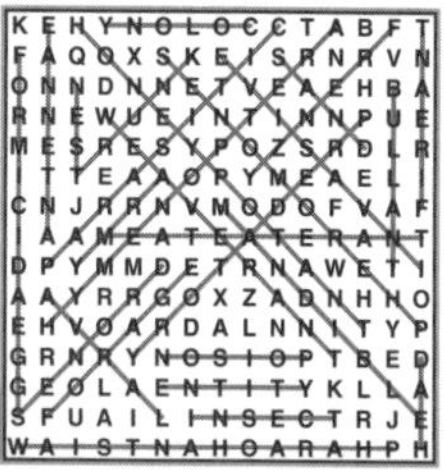

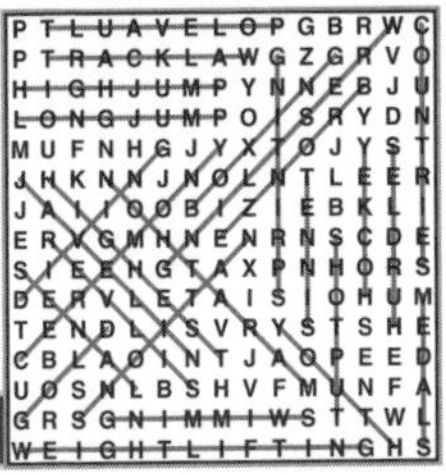
175

179

176

180

177

181

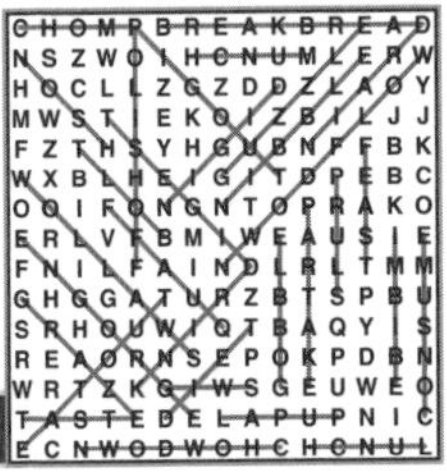
178

182

Solutions

183

184

185

186

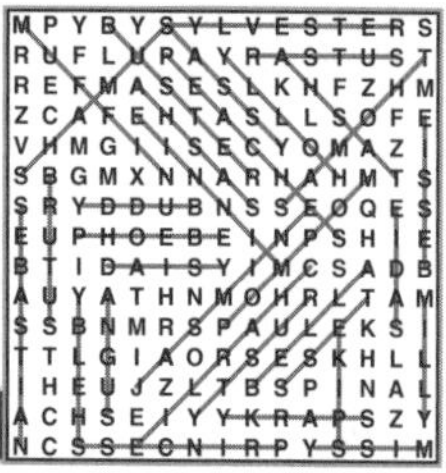

187

188

189

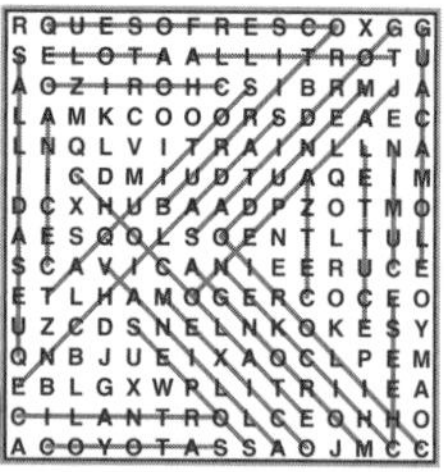

190

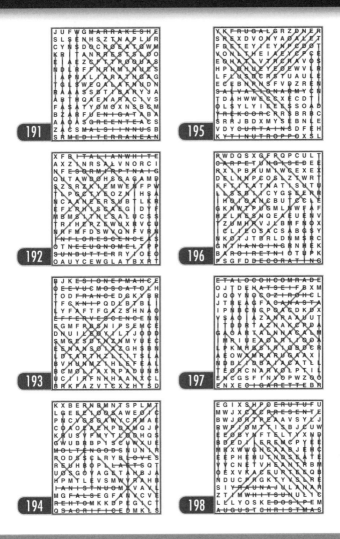

191

J U F W G M A R R A K E S H E
S L S E N H S Z T N A P L U R
C Y N S D O C R O E A T Q W M
K R I T A N R R E S T S L O O
E I A E Z C F T T R O O U A S
N D L R F F N R H M I N U E S
I A P N A L I A R A T N G A G
T G L S W E Q A L A F N U D N
R A A A S S B T I B A R Y J A
A B T H Q A E N A R A C I V S
F A S A T Y O M O X N S B C M
B Z A R F U E N I G A T A B A
A A O A S G R E E N T E A C S
Z A C S M A L S I I N N U S B
S R M E D I T E R R A N E A N

192

X F B I T A L I A N W H I T E
A X Z I N R S A L V N O R C I
N F E S O R M I R P T N A I G
Q U T A W D O H S G A G A M D
S Z S R Z K I E M W E N F P W
T L P G C T Y E O Z N I H S A
N C A A N E E R S U B T L K R
E F L R H I S C A E G I D Y F
M B M S I T N L S A L U C S S
T R I H E R Z E W U X R V C U
N R F M F D S W V Q N F V R N
I N F L O R E S C E N C E A S
O T N E E U Q N O M E L T P P
S U N B U T T E R R Y I O E O
O A U Y C E W G L A T B X R T

193

B J K E S I O N E P M A H C E
O E E V U C M O S C A T O L H
T O D F R A N C E D G K Y B R
T F C K N I P Q D L B T B L I
L Y F A F T F G A Z S H N A O
E F F E R V E S C E N C E N N
E G M F R B S N I P S E M C E
D N U I L E O Y I L T J O D D
S M G E S D T N Z N M Y U E C
E E N A N S O I A Z G H S B N
L D T A R T H Z L T I T S L A
B V H U N M Z I H L E F E A L
B C M O L I A X R P A D U N B
U C I I R F N H H A A N X C L
B R K F A Z V T C X Z H T S D

194

K X B E R N B M N T S P L M T
L G E E E I O O S A W E O I C
P N C V G S G A W Y C R M A E
C O A O E A E H P D A M Q J P
K R U S V F M Y T L O D H Q S
G W U B R B P I S C U W X U E
M O L T E N G O D S N U N I R
R O D S S C L R Y B L O V E S
R E U H B O P L L A E T S Q T
U O S G O V A G E T A H B J A
H P M T L E V S M W V R A H B
I A N I S T N U O M E V A V L
M G F A L S E G F A N V C V E
R E H T O M K K D P E G I C T
Q S A C R I F I C E D M K L S

195

Y K F R U G A L G R Z D N E R
S R E X D V O N Y A O A L E T
F D E T E Y I E Y N P C D O T
V O N L T H E I A E Y C P C E
E O H A T L V T R C R A V O S
H P L O H U E Y E O E W V L R
L F L U S D C R S T U A U L E
E C E B N P N S F V D Z R E N
S A L V A T I O N A R M Y C N
T D A H W W E C C X E C D T I
O L S Y L Y I E E E S S O A D
Y R E K C O R C R R S B R B C
S R R J B D X M Y S E B N L E
V D Y C U R T A I N S D F E H
K Y T I N U T R O P P O X S L

196

R W D Q S X G F R Q P C U L T
C A R P E T U N G I S E D E E
R X I P B R U M I W C E X E X
D E L N N P C O S L Z T W R T
F F T I T A T N A T I S U T U
L L S S B I I C Y G S E E R R
I H O I O A N C B U T C C L E
G K N W T P U G M L N W F A F
H E L R E S N Q E A E U E N V
T Z U M H R V J L B M F N O X
I C L I E O S A C S A B G S Y
N K O T J T B R L D N M S R C
G N T H A N G I N G R N H E K
B A R O I R E T N I O T U P K
P S G F D D E C O R A T I N G

197

E T A L O C O H C O M R A D E
O J T D E H A T S E I F B X M
J Q O Y N O C O Z I R O H C L
J T R E A G F A C A N A S T A
I P N B C N G P O A C D K D X
V S A O I A Z A N R A A U U T
I T D D R T A Z N A K C R D A
G A O A R T A L N N A C A L M
I M R I U E A O L R I I O O A
L P K M H B S I R I Q B D C R
A E O W A M R A R U G A A X I
N D B L I D B A I A C A T L L
T E O R C N A R V O L P T I L
E N C G S F I N V O P W Z O O
E N X E C I G A R E T T E B R

198

E G I X S H P O E R U T U F U
M W J X C E C R R E S E N T E
B W J O R T R E A A V S Y L J
R W P I O M T T I S B J C U W
E E O B Y N F T E L T Y X N D
B D E D I I E R E M C P Y E E
M R X W W G N C A A B J E H C
E E P H E H U T N D S E A T E
V Y C N E T V H E A N T R B M
O E X V K A C E U R T E E Q B
N D U C P R G K T Y V S L R E
S I Y R A U N A J U L A N A R
Z T I M W H I T S U N U L I C
L L L Y O S K E D O S I P E M
A U G U S T C H R I S T M A S

Solutions

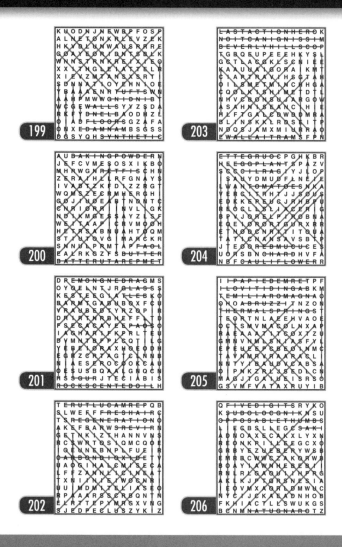

199

K	U	O	D	N	J	N	E	W	B	P	F	O	S	P
A	L	N	E	T	O	N	K	R	L	E	V	Z	E	K
H	K	V	D	L	U	N	W	A	U	S	R	R	R	E
G	O	A	Y	E	O	R	I	D	N	T	S	B	L	K
W	N	N	S	T	R	N	K	R	E	I	X	I	E	O
X	X	I	T	H	G	L	E	I	A	T	T	E	L	R
X	I	E	V	Z	M	T	A	N	S	X	S	R	T	I
S	D	N	N	A	T	I	O	Y	E	H	N	I	O	E
Y	B	A	A	A	E	N	R	T	U	F	T	S	W	N
A	A	H	P	M	W	W	G	N	I	D	N	I	B	T
W	C	G	E	W	A	L	L	S	Y	Y	Z	S	D	A
R	K	F	Y	D	N	E	L	B	A	O	D	H	Z	L
O	I	A	D	F	L	O	O	R	S	G	Z	A	F	A
O	N	X	E	D	A	M	N	A	M	B	S	G	S	S
D	G	S	Y	Q	H	S	Y	N	T	H	E	T	I	C

200

A	U	B	A	K	I	N	G	P	O	W	D	E	R	N
J	E	F	C	V	M	E	S	O	S	X	I	K	B	O
M	H	R	W	G	N	R	E	T	F	I	S	C	H	N
Z	E	R	A	I	H	L	L	R	F	G	N	A	Y	S
I	V	A	B	T	Z	K	F	D	I	Z	Z	R	G	T
W	Q	M	S	Z	E	C	R	M	H	E	R	G	H	I
G	O	J	I	U	O	E	A	B	T	N	D	N	T	C
C	N	R	I	O	R	R	I	I	N	V	L	I	G	K
N	D	I	K	M	G	E	S	S	A	Y	Z	L	S	F
W	E	I	T	A	A	P	I	C	R	V	M	O	O	H
H	E	T	R	S	A	B	N	U	A	H	T	O	Q	M
S	T	I	U	T	O	V	G	I	M	A	R	C	K	R
S	N	N	U	L	P	R	M	T	A	P	F	A	O	L
E	A	L	R	K	G	Z	F	S	B	U	T	T	E	R
B	A	T	T	E	R	U	T	A	R	E	P	M	E	T

201

D	R	E	M	O	N	G	N	E	D	R	A	G	M	S
O	Y	O	E	L	N	T	J	R	G	L	A	S	S	S
K	E	S	T	E	E	G	I	A	T	L	E	B	K	O
B	A	R	M	T	G	A	B	U	B	O	X	F	C	U
V	R	A	U	B	E	D	T	Y	R	Z	O	P	I	R
D	R	I	R	T	N	R	B	H	E	F	F	L	T	D
F	S	E	C	A	C	A	Y	E	E	P	A	O	S	O
I	A	G	H	A	R	I	F	K	P	R	L	T	E	U
D	Y	M	N	T	B	F	P	L	C	Q	T	I	L	G
Y	E	B	E	I	O	R	A	X	H	O	E	O	D	H
E	G	R	Z	C	R	T	A	G	T	C	L	N	N	B
N	I	A	E	S	E	R	O	C	O	O	K	C	A	U
O	E	S	U	S	B	Q	A	A	L	G	N	Q	C	N
H	S	S	G	U	R	J	T	E	C	I	A	B	I	S
R	O	C	K	S	C	E	N	T	E	D	O	I	L	H

202

T	E	R	U	T	L	U	C	A	M	R	E	P	Q	B
S	L	W	E	F	F	F	R	E	S	H	A	I	R	C
T	S	R	E	G	E	N	E	R	A	T	I	O	N	O
A	K	E	F	B	A	R	W	S	R	E	V	I	R	N
G	E	T	N	K	I	Z	T	H	A	N	N	V	N	S
R	C	S	W	R	T	O	S	I	Q	M	C	Q	O	E
I	Q	E	U	N	E	B	N	P	L	F	U	E	I	R
C	A	R	B	O	N	D	I	O	X	I	D	E	T	V
U	A	O	G	I	N	A	L	C	M	I	S	E	C	A
L	F	F	Z	A	N	N	L	I	C	I	N	E	A	T
T	X	N	I	I	N	I	E	I	W	O	C	N	R	I
U	U	I	M	D	M	I	T	E	L	I	A	S	E	O
R	P	A	A	A	R	S	S	C	R	B	Q	N	T	N
E	L	R	T	T	E	P	Y	M	R	G	X	V	N	G
S	J	E	D	P	E	C	L	U	S	Z	Y	K	I	Z

203

L	A	S	T	A	C	T	I	O	N	H	E	R	O	K
N	O	I	T	C	A	N	I	G	N	I	S	S	I	M
B	E	V	E	R	L	Y	H	I	L	L	S	C	O	P
T	G	B	Q	E	U	P	E	E	E	H	K	Y	S	L
G	C	T	L	A	C	G	K	L	S	C	N	I	E	E
K	A	A	U	U	A	I	G	O	R	A	I	K	M	T
C	I	A	P	T	R	A	V	I	H	S	G	T	A	H
O	I	L	S	M	E	T	M	I	N	C	H	H	G	A
C	Q	O	L	K	I	S	H	I	M	E	T	D	T	L
N	H	V	C	B	O	N	S	U	J	A	R	G	O	W
A	S	A	H	N	I	S	E	A	N	C	I	H	I	E
H	L	F	T	G	A	L	C	D	W	D	D	M	R	A
B	L	I	N	S	K	K	L	R	D	S	E	I	T	P
N	D	Q	S	J	A	M	X	M	I	U	R	R	A	O
E	W	A	L	L	A	I	T	R	A	M	S	F	P	N

204

E	T	T	E	G	R	U	O	C	P	G	H	K	B	R
H	E	E	G	G	P	L	A	N	T	S	P	A	Z	V
S	C	C	C	I	L	R	A	G	I	Y	J	L	O	P
I	S	A	U	Y	D	M	U	D	F	L	N	E	I	E
L	W	A	N	T	O	M	A	T	O	E	S	N	K	A
V	E	R	C	I	T	R	H	T	J	J	S	O	U	S
E	D	K	K	E	P	E	U	C	J	R	H	B	P	U
R	E	O	C	L	L	S	L	I	A	C	E	R	I	G
B	P	V	J	O	R	E	L	P	I	R	O	B	N	A
E	O	E	I	O	R	O	R	T	G	U	R	X	R	R
E	T	N	O	D	C	N	R	I	T	I	T	O	U	A
T	A	T	I	C	N	A	N	S	A	V	S	B	T	P
J	T	E	O	O	R	E	B	M	U	C	U	C	E	S
U	O	R	S	B	N	C	H	A	R	D	H	V	F	A
N	B	F	C	A	U	L	I	F	L	O	W	E	R	R

205

I	I	P	A	P	I	E	D	E	M	R	E	T	P	F
I	L	O	V	I	T	I	D	I	N	G	A	B	K	M
T	E	M	I	L	I	A	R	O	M	A	G	N	A	O
O	H	O	A	B	R	U	Z	Z	I	T	N	Z	O	N
T	H	E	R	M	A	L	S	P	R	I	N	G	S	T
T	E	O	R	T	N	L	A	E	E	H	V	A	O	E
O	C	T	S	M	V	M	A	C	O	L	N	X	A	P
R	A	E	A	A	A	T	I	T	C	O	X	T	Z	U
G	M	N	V	N	M	L	S	N	I	A	S	F	Y	L
E	P	E	U	E	E	P	C	B	E	O	I	N	M	C
T	A	V	N	M	R	V	R	A	A	R	A	C	L	I
N	N	T	Y	I	B	A	U	D	V	C	A	B	S	A
O	I	P	N	K	Z	R	L	J	S	E	D	L	C	N
M	A	G	J	T	G	A	I	U	E	I	S	R	S	O
G	S	V	M	F	V	A	T	A	X	R	U	Y	I	B

206

Q	F	I	V	E	D	I	G	I	T	S	R	Y	K	O
K	S	U	B	O	L	O	C	G	N	I	K	N	S	U
O	P	P	O	S	A	B	L	E	T	H	U	M	B	S
L	I	E	C	B	S	L	L	E	G	C	S	A	K	I
A	D	N	O	A	X	E	C	A	K	X	L	Y	X	N
R	E	O	N	K	P	I	I	L	E	E	G	C	X	O
G	R	B	Y	E	Z	U	E	B	E	R	Y	W	S	B
E	M	R	B	C	W	W	C	Z	A	K	O	R	W	B
B	O	A	Y	I	A	W	N	N	E	B	E	B	I	I
R	N	L	R	L	G	A	O	U	I	I	H	P	R	G
A	K	L	K	J	P	T	Q	R	S	N	E	S	I	A
I	E	O	V	M	X	A	O	R	L	D	M	W	U	C
N	Y	C	I	J	C	K	A	E	A	D	N	H	O	B
F	K	H	I	A	C	T	L	L	S	W	U	K	G	S
B	C	N	M	N	A	T	U	G	N	A	R	O	T	Z

Solutions

207

208

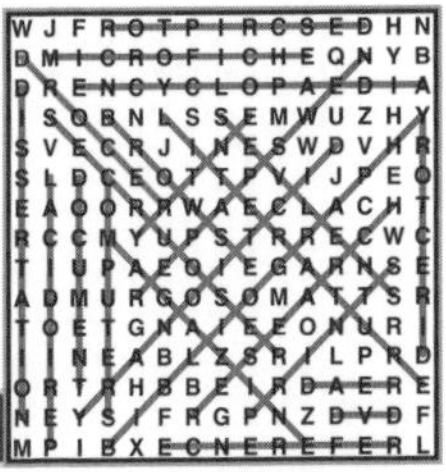

209

210

211

212

213

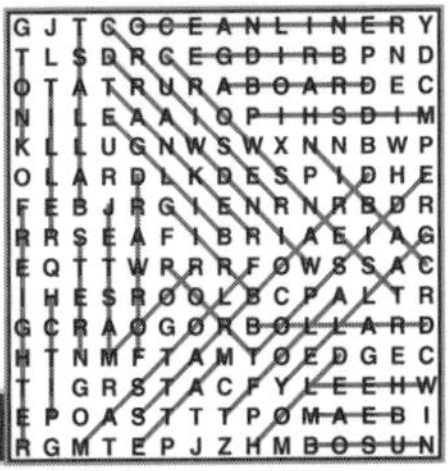

214

Solutions

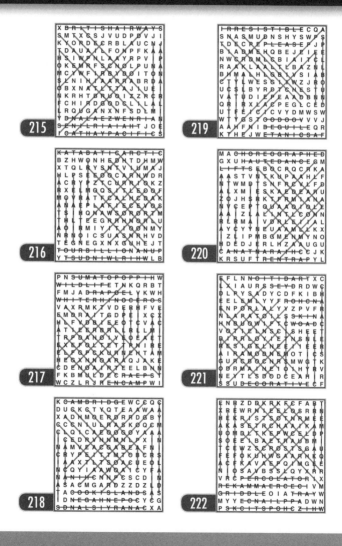

215

X	B	R	I	T	I	S	H	A	I	R	W	A	Y	S
S	M	T	X	C	S	J	V	U	D	P	D	V	J	I
K	Y	O	R	D	E	C	R	B	L	A	U	C	N	J
T	D	A	U	A	I	L	F	O	N	P	F	K	A	A
H	S	I	W	P	N	L	A	A	Y	R	P	V	I	P
O	K	E	M	R	F	S	C	N	O	L	P	U	N	A
M	C	Y	W	F	I	R	B	Y	D	O	I	T	O	N
S	L	N	I	H	I	A	A	R	R	A	B	R	D	A
O	B	X	N	A	T	L	T	T	A	J	I	U	E	I
N	K	R	H	T	B	R	U	O	I	Z	Z	R	C	R
F	C	H	I	R	D	G	O	D	C	L	I	L	A	L
L	R	Q	U	G	A	N	X	N	F	S	D	L	M	I
Y	D	N	A	L	A	E	Z	W	E	N	R	I	A	N
S	E	N	I	L	R	I	A	I	A	H	T	J	O	E
I	C	A	T	H	A	Y	P	A	C	I	F	I	C	S

219

I	R	R	E	S	I	S	T	I	B	L	E	C	Q	A
S	N	A	S	M	U	D	N	S	H	Y	S	W	P	S
T	D	E	C	R	E	P	L	E	A	S	E	P	J	P
B	I	A	D	M	E	H	Q	B	E	J	E	I	E	E
N	W	C	R	D	M	L	C	B	I	A	I	T	C	L
R	A	A	K	L	A	A	L	T	L	B	A	Z	N	L
B	H	M	A	L	H	L	G	B	I	V	S	I	A	B
C	T	Y	L	W	E	S	G	I	I	W	Z	J	R	O
U	C	S	L	B	Y	R	D	T	C	N	E	S	T	U
V	A	T	U	D	I	E	P	E	A	A	D	B	N	N
Q	R	I	R	X	L	A	C	P	E	G	L	C	E	D
U	T	F	E	I	C	I	C	V	Y	D	M	W	S	W
W	T	Y	G	S	T	O	O	D	O	O	V	V	V	J
A	A	H	F	N	I	B	E	G	U	I	L	E	Q	R
K	T	H	E	J	W	E	T	A	N	I	C	S	A	F

216

K	A	T	A	B	A	T	I	C	A	R	C	T	I	C
B	Z	H	W	O	N	H	E	D	H	T	D	H	M	W
X	T	Q	L	R	Y	S	N	T	V	I	U	M	A	J
H	L	P	S	E	E	O	O	C	A	R	N	W	D	R
A	C	R	Y	P	Z	T	C	U	R	R	I	O	K	Z
R	X	E	L	M	O	Q	S	I	T	L	E	O	O	F
M	O	V	R	A	T	F	C	A	L	H	C	D	A	K
A	N	A	E	P	L	A	F	I	E	C	E	V	O	S
T	S	I	H	Q	N	A	W	S	O	R	O	R	T	M
T	H	L	T	E	E	G	R	R	H	N	O	R	L	U
A	O	I	R	M	I	Y	I	T	I	O	O	N	M	Y
N	R	N	O	I	C	S	U	A	S	N	R	H	V	D
T	E	G	N	E	G	X	N	X	G	U	H	E	J	T
T	O	U	R	B	I	L	L	I	O	N	A	N	U	P
Y	T	S	U	D	N	I	W	L	R	I	H	W	L	B

220

M	A	C	H	O	R	E	O	G	R	A	P	H	E	D
G	X	U	H	A	U	T	E	D	A	N	C	E	G	M
L	I	F	T	S	E	B	O	C	R	Q	C	R	K	A
A	A	S	T	V	N	T	K	U	P	A	A	H	L	F
N	T	W	M	D	T	S	N	F	R	C	V	L	F	D
A	L	X	M	I	E	S	K	A	E	D	E	A	R	U
Z	O	J	H	S	R	K	T	F	R	M	I	A	N	A
N	V	C	E	P	T	Q	U	A	A	O	I	O	L	E
A	A	I	Z	L	A	L	I	N	T	L	C	O	N	N
R	L	R	M	A	I	V	D	R	L	E	I	I	A	L
A	Y	C	Y	Y	N	E	U	A	A	M	L	L	K	X
I	Z	L	I	P	M	B	G	M	E	N	M	Y	N	O
H	D	E	D	J	E	R	L	H	Z	A	A	U	G	U
C	A	N	A	T	N	A	R	A	I	H	C	C	J	K
K	R	S	U	F	T	R	E	N	T	R	A	P	Y	L

217

P	N	S	U	M	A	T	O	P	O	P	P	I	H	W
W	I	L	D	L	I	F	E	T	N	K	Q	R	B	T
F	M	J	A	D	R	A	P	O	E	L	V	K	W	H
W	H	I	T	E	R	H	I	N	O	C	E	R	O	S
V	A	X	R	M	K	T	V	D	E	R	H	F	V	E
E	M	D	R	A	I	T	G	D	P	E	I	X	C	X
H	L	F	V	D	B	I	E	E	O	T	C	V	A	C
A	T	I	E	E	R	B	R	L	L	R	L	L	M	I
T	R	P	D	A	N	O	I	Y	E	O	E	A	E	T
E	X	E	F	O	L	T	E	T	T	R	N	I	R	E
E	L	F	G	P	C	K	U	R	N	E	H	T	A	M
H	E	G	X	N	N	O	A	R	A	Q	J	A	K	E
C	D	E	N	O	A	I	R	T	E	E	L	B	N	N
F	K	B	M	U	L	D	E	C	R	A	E	P	S	T
W	C	Z	L	R	J	R	E	N	C	A	M	P	W	I

221

E	F	L	N	N	O	I	T	I	D	A	R	T	X	C
L	X	I	A	U	R	S	S	E	Y	D	R	D	W	C
D	L	R	Y	S	A	D	Y	C	D	F	K	I	B	H
E	E	L	E	M	L	Y	Y	F	R	O	H	C	N	A
E	N	P	O	R	L	A	L	Y	Y	Z	P	V	F	R
N	L	A	R	A	T	O	I	L	S	S	K	I	N	A
H	N	B	U	O	W	I	F	T	C	W	O	A	D	C
V	O	T	I	E	L	N	S	C	I	S	H	E	E	T
D	I	R	R	L	O	Y	I	E	T	N	S	N	L	E
R	E	S	I	G	E	L	N	E	E	I	I	E	E	R
A	I	R	A	M	O	D	N	E	M	O	T	I	C	S
G	U	R	C	B	O	C	N	R	S	M	W	G	T	K
O	D	R	M	A	I	N	E	I	O	I	H	Y	R	V
N	E	Y	T	L	S	D	O	D	C	E	A	H	I	R
S	S	U	D	E	C	O	R	A	T	I	V	E	C	F

218

K	C	A	M	B	R	I	D	G	E	W	C	C	Q	C
D	U	C	K	C	T	Y	Q	T	E	A	A	W	A	A
X	A	D	H	M	O	E	R	D	R	R	D	G	B	Y
C	C	C	N	I	U	L	R	A	S	K	O	Q	C	M
C	L	Q	I	C	A	E	O	O	G	O	Y	A	A	A
I	C	E	D	R	V	N	N	M	N	L	P	X	I	N
N	A	M	V	E	A	C	G	A	B	E	A	F	N	I
C	R	Y	P	E	I	T	T	M	T	O	B	C	R	S
I	A	A	X	T	L	T	S	O	A	C	U	E	O	L
N	C	Q	Y	I	A	A	W	O	A	I	C	Y	F	A
N	A	N	I	H	C	N	N	P	C	S	C	D	I	N
A	S	A	C	M	G	A	R	D	Z	Z	D	Z	L	D
T	A	C	O	O	K	I	S	L	A	N	D	S	A	S
I	D	N	E	G	A	H	N	E	P	O	C	Y	C	G
S	D	N	A	L	S	I	Y	R	A	N	A	C	X	A

222

E	N	R	Z	D	D	K	R	K	F	C	F	A	B	T
X	R	E	W	R	N	I	E	E	L	O	S	R	R	N
H	E	K	R	I	S	T	S	O	T	N	R	M	E	E
A	K	A	S	E	T	R	C	H	A	A	I	K	A	M
U	O	M	D	L	T	K	E	P	W	C	E	L	D	P
S	O	E	E	I	B	A	E	T	R	A	U	B	M	I
T	C	E	W	Z	S	C	R	O	S	T	S	G	A	U
F	E	F	O	K	U	H	W	G	A	A	R	H	K	Q
A	C	F	K	A	V	A	E	P	Q	I	M	G	E	E
N	I	O	S	A	V	B	S	S	L	Q	Y	X	R	R
V	R	C	P	E	R	C	O	L	A	T	O	R	I	X
R	E	K	A	M	M	A	E	R	C	E	C	I	V	M
G	R	I	D	D	L	E	O	I	A	T	R	A	Y	W
M	Y	Y	E	C	N	A	I	L	P	P	A	D	W	N
P	S	K	C	I	T	S	P	O	H	C	Z	I	H	W

C	M	F	O	R	M	G	U	I	D	E	T	A	J	S
T	O	H	S	G	N	O	L	G	A	T	E	R	A	G
R	U	L	O	T	U	R	F	C	L	U	B	D	O	S
K	H	D	T	P	W	E	I	G	H	T	D	M	E	T
L	D	O	Z	D	U	D	N	F	S	L	I	S	I	S
S	Y	P	T	K	C	I	V	G	E	L	R	M	K	R
H	L	X	F	O	L	S	N	F	N	O	I	L	C	B
S	L	K	K	R	S	T	R	O	H	I	I	A	Y	C
I	I	I	A	G	F	U	R	Q	B	S	C	A	R	A
N	F	E	Y	A	A	O	J	U	E	B	N	A	G	R
I	Y	T	E	L	S	V	T	I	N	O	I	A	R	N
F	B	R	K	L	H	P	K	T	S	T	I	R	C	I
H	K	A	C	O	I	O	Y	E	K	T	E	F	Y	V
H	V	C	O	P	O	O	E	C	A	P	Q	R	W	A
P	X	K	J	B	N	J	J	H	T	G	N	E	L	L

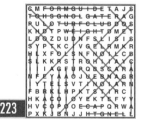